숲속 화실 80

유덕철

숲속 화실(24X33cm/수묵화/2023년)

BOOKK

숲속
화실

숲속화실은
산이나 들섬 등을 산책하다
발길이 머무는 곳 어디든지
그림을 그리면 됩수있다

수련재 등산하고 숲속화실에서
그림을 그리는 작업을 해오다 보니
나자신 심신의 조화를 이뤄
더욱 건강해진 듯하다
그림또한 수묵으로 일직혀지 기운 생동
해지고 있다

숲속의화실에서 함께 산책하고
그림그리며 참살이의 시간을 보내는
사람들이 많아졌으면 좋겠다

차례

1부 1000m 이하 숲속 화실

3. 인천

1) 함봉산 61.8m
2) 골막산 78.5m
3) 서풍받이 80m
4) 봉재산 103m
5) 월미산 108m
6) 관모산 162m
7) 청량산 172m
8) 원적산 196m
9) 만수산 201m
10) 거마산 210m
11) 문학산 217m
12) 낙가산 235m
13) 국사봉 237.1m
14) 백운산 255.5m
15) 천마산 255.9m
16) 화개산 259m
17) 소래산 299.4m
18) 해명산 324m
19) 고려산 376.5m
20) 계양산 395m
21) 마니산 470m

숲속 화실 80

숲속 화실 80

2부 1000m 이상 숲속 화실

숲속 화실 80

머리말

어릴 적부터 그림을 좋아해서 날마다 그림일기를 썼다. 학창 시절 내내 습작을 게을리하지 않아 예술적 역량을 키울 수 있었고, 국립사범대학교 미술 교육과에 진학하였다. 졸업 후 미술 교사로 재직하면서 쉬지 않고 그림을 그린 세월이 어언 34년이다.

교직 생활 틈틈이 주말이나 방학 기간에 산과 들을 찾아 그림을 그렸다. 특히 일과 개인의 삶 사이의 균형을 중요하게 생각하며 워라밸(work life balance)의 참살이를 실천하려고 애썼다. 학교에서는 학생을 지도하고 나만의 시간에는 숲속에서 그림을 그리며, 이른바 건강관리와 예술 활동을 병행하는 육체와 정신의 조화로운 삶을 이루고자 한 것이다.

화실(畫室)은 보통 실내에 있지만, 숲속 화실은 조망이 좋은 산야나 숲속 등, 야외에서 산책하다가 만난 새로운 개념으로서의 그림 그리기 공간이다.

이 책은, 이 숲속의 화실에서 풍경을 직접 보며 느낀 감정을 진심경(眞心景)으로 표현한 작품을 모아 놓은 것이다. 진심경은 진경과 심경을 함께 표현한다는 의미를 담고 있다.

숲속 화실에서 사용한 재료와 기법은 전통 회화 수묵화로 표현했고, 때에 따라서는 수묵담채화로 표현하기도 했다. 수묵화 매력 중 하나인 먹물이 화선지에 스며들어 번지는 그 순간의 맛과 자연스러움을 극대화하고자 한 것이다. 수묵화의 농담과 흑백의 대비는, 대상에 생동감을 불어 넣으며 감상자의 시선을 그림 속으로 끌어들인다. 이 작업을 통해 우리 것을 소중히 여기고 전통 회화를 계승 발전하는 데 한 역할을 한다는 자부심이 생겼다.

그동안 틈틈이 전국의 명산을 다니며 그림 그리기에 좋은 장소와 추억을 모아 숲속 화실 80개에 담다 보니, 심신이 건강해졌고 우리나라의 아름다운 자연미를 느낄 수 있어 행복했다. 스케치 여행으로 각 지역 특유의 문화를 접할 수 있어 그 즐거움도 만만치 않았다.

숲속에 있으면 세상의 속도가 늦춰지면서 조급함이 사라지고, 세속의 때가 정화되면서 경건함이 밀려온다. 여기에 산책이나 등산을 통해 단련되는 신체의 건강 또한 무시할 수 없는 삶의 에너지이니 이 얼마나 좋은가!

등산하며 그림그리기 - 운동과 예술의 만남 - 가 얼핏 생소한 것 같지만 새로운 힐링 장르 '숲속 화실'에서 많은 사람의 더욱 풍성한 삶으로 이어지길 바란다.

교사가 행복해야 학생이 행복하다는 말이 있다. 숲속에서 피톤치드를 마시며 즐거이 그림을 그려 얻은 교사의 이런 행복이 우리 학생들에게 고스란히 전해졌으면 좋겠다.

전국을 다니며 그림 그리는 이 작업을 응원해 주는 나의 아내와 딸들에게 이 지면을 통해 고마움을 전한다. 글의 완성도를 높여주신 류은낭 수석선생님께도 감사를 드린다.

2024년 7월, 숲속 화실에서

유덕철

1부 1000m 이하 숲속 화실

숲속화실은
산이나 들 섬 등을 산책하다
발길이 머무는 곳 어디든지
그림을 그리면 됩수있다

수년째 등산하고 숲속화실에서
그림을 그리는 작업을 해오다 보니
내자신 심신의 조화를 이뤄
더욱 건강해진듯하다
그림또한 수묵으로 실력쳐져 기운 생동
해지고 있다

숲속의화실에서 함께 산책하고
그림그리며 참살이의 시간을 보내는
사람들이 많아졌으면 좋겠다

1. 서울

1) 우면산 293m - 소망

서울 서초구 우면동 산 36

이른 봄 어느 날, 아침 일찍 청계산에서 그림을 그린 후, 우면 산을 등산하기 위해 예술의 전당 주차장에 주차하고 정상에 올 랐다. 정상 주변엔 진달래가 만개했고 나뭇가지에선 새순이 돋아 나고 있었다. 파릇파릇한 숲속 화실에서 그림을 그리며 마냥 행 복했다. 그림을 그린 후 하산, 예술의 전당 전시실로 향했다. 마 침 예술의 전당 한가람 미술관에서 헝가리 출신 옵아트 작가 '빅 토르 바자렐리' 전시가 있어 관람 후, 이어서 제5회 아트 '락' 페 스티벌 대한민국 청년 작가전과 지인인 서양화가 김영규의 개인 전까지도 가보았다.

바자렐리 작품은 디자인적인 요소가 강하고 작품의 크기가 어 마어마하다. 역시 세계적인 작가는 다르다는 생각이 든다. 대한 민국 청년 작가전은, 참여 작가 인원이 엄청 많고 작품들 모두 화려한 유채색으로 눈이 어지러울 정도였다. 김영규 개인전에서 는 작가 내외분도 뵈었다. 김영규의 작품은 화려하면서도 대범한 터치가 아주 시원하다. 요즘 들어 화려한 작품이 많아졌다.

예술의 전당 한가람 미술관에서 그림을 감상하면서 '예술은 무엇인가', '나는 그림을 왜 그리는가'에 대해 곰곰 생각해 보았다. 화가 자신만의 즐거움이 아니라 감상자도 함께 즐길 수 있는 그림을 그려야 하겠다는 생각을 잠시 했다.

  우면산 정상 소망탑 앞, 전국 숲속 화실을 다니면서 아름다운 작품 제작과 무사 산행이 이루어지기를 소망하였다.

2) 인왕산 338.2m - 환상

서울 종로구 옥인동 산 3-39

가끔 서울에 가면 긴장감과 함께 무언지 모를 환상적인 멋스러움을 느끼게 된다. 예술의 거리로 불리는 인사동 갤러리에 들러 작품을 감상하고, 화방에 가 숲속 화실에서 사용할 재료를 구매했다. 자리를 옮겨 겸재 정선의 <인왕제색도>로 유명한 인왕산 정상에 올랐다.

미술 수업 시간에 정선의 <인왕제색도>를 수없이 설명하고 감상시키며 '따라 그려 보라'고까지 했던, 서울 복판에 있는 인왕산. 근접하면 안 될 것 같은 성스러운 산으로 가슴에 담아 놓았던 이 산에서 그림을 그리니 감회가 새롭다.

정선의 인왕제색도 화풍은 진경산수화이다. '진경산수'란 이상적인 산수를 상상하여 그리던 중국 화풍의 답습을 기피하고, 우리나라의 산천을 직접 유람하여 그리는 자주적인 산수화 양식이다. 숲속 화실도 이 진경산수와 맥을 같이한다.

인왕산은 서울 시내에 인접해 있어서인지 낮에는 외국인들이 많았고, 해 질 무렵이 되니 한국 사람들이 많이 올라왔다. 외국인에게 인왕산이 관광지로 널리 알려진 듯하다. 프랑스에서 왔다는 외국인 연인은 인왕산 정상에 오른 게 기분이 좋은지 자꾸 말을 걸어 온다. 국제화 시대이다. 이 기회에 외국어

구사 능력을 한번 키워볼까나?

인왕산 정상에서

　　인왕산 숲속 화실에서 진심경(眞心景)을 수묵으로 표현했다. 진심경은
진경을 보면서 심경을 담은 것으로, 산에 대한 인상과 감상을 담아 그
리는 산수화이다.

3) 북악산 342m - 청와대 뒷산

서울 종로구 삼청동 산 2-27

인왕산 정상에 오른 김에 가까이에 있는 북악산을 수묵화에 담았다. 날씨가 좋아서 인왕산에서 북악산이 선명하게 보이고 높이가 비슷해서 평시(平視)로 산을 보는 평원법을 사용하기로 했다. 채색을 가하지 않고 먹의 농담을 이용하여 그리는 수묵화의 특성을 최대로 살려 감성적 일필휘지로 표현했더니 생동감이 더하는 듯하다. 서양에서는 색으로 간주하지 않는 흑과 백을 일찍이 동양의 음양오행(陰陽五行) 사상에서는 오색(五色)에 포함하여 인식해 왔다. 이런 점이 그림에 반영되어 수묵화가 발달하게 된 것이 아닌가 생각한다.

산의 기운을 받으며 그림을 그리려면 직접 그 숲속에 들어가 그리면 좋겠으나 때로는 산 전체를 조망하며 그리는 것도 의미가 있다. 사람을 제대로 알려면 가까이 지내야 친해지기 쉽지만, 먼발치에서 그 사람에 대한 객관적인 평판을 들어가면서 인간관계를 맺는 이치와 비슷하다.

북악산은 화강암으로 이루어진 서울의 주산(主山)으로, 오늘도 인왕산과 북한산 사이에서 서울시민의 심신을 보살피고 있는 듯하다.

　인왕산 정상에서 북악산을 보면서 그림을 그렸다. 서대문구 안산에서 출발하여 인왕산과 북악산, 북한산으로 이어지는 구간을 산행하며 그림을 그릴 수 있다.

　김신조는 1968년 1월 21일, 북한 민족 보위성 정찰국 소속 공작원 (124부대) 31명과 함께 북악산을 넘어와 청와대를 습격하여 박정희 대통령을 암살하고자 서울 세검정 고개까지 침투하였다. 북악산은 이 남북대결의 아픈 역사가 숨겨진 산이다.

4) 관악산 632m – 도심의 숨통

서울 관악구 신림동 산 56-1

북한산. 도봉산에 이어 서울에서 세 번째로 높은 관악산을 찾았다. 서울대 캠퍼스 안쪽으로 들어가서 공대 인근에 주차 후 연주대까지 올라가는 등산로에서 학바위 능선을 타고 산에 올랐다. 학바위 능선은 조금 험해서 암벽을 오를 때는 철 파이프와 밧줄을 잡아야 한다. 탐방길이 가파르고 험난한 만큼 절경인지라 산의 묘미를 더하는 숲속 화실이다.

영험한 기운을 느낄 수 있는, 조망이 트인 산 중턱에 자리를 펴고 그림을 그렸다.

관악산 연주대가 보이는 숲속 화실

멋진 조망터, 숲속 화실은 엔진이 갈 수 없는 길, 발로만 가능하다.

<관악산>, 수묵화

숲속 화실 80

5) 도봉산 740m - 절경

서울 도봉구 도봉동 산 31

하늘로 솟은 웅장한 산의 절경, 보기만 해도 아찔하다. 그 자태가 신비롭고 아름다워 눈을 뗄 수가 없다. 직각에 가까운 기암절벽에 매료되어 산에 올라가는 내내 무엇인가에 홀린 듯 발길이 빨라진다. 도인이 살 것 같은 영험한 도봉산, 신선대에 올라오니 나도 신선이 된 듯 몸이 가볍다. 향긋한 초봄 새순들이 봄바람에 살랑인다. 산 아래 불쑥, 죽순처럼 올라온 암벽 사이에 소나무들이 의젓하게 자태를 뽐내고 있다. 수묵화로 한 방에 휘둘러 그 감동을 담았다.

봄을 맞으려고 새순이 살며시 기지개를 켜고 있었다. 이 봄의 기운을 화폭에 담아 본다.

<도봉산의 자태>, 수묵화

숲속 화실 80

6) 인수봉 811m - 암벽

서울특별시 도봉구에 있는 북한산의 한 봉우리

멀리 우뚝 솟은 인수봉의 자태를 수묵화로 선과 여백의 미를 살려 표현했다.

7) 북한산 836mm - 국립공원

서울 강북구 삼양로173길 116-203

서울과 인접한 산 중에서 가장 높고 산세가 험하여 예로부터 진산으로 여겨온 북한산. 오래전부터 오고 싶었다.

몇 달 전. 북한산 등산 입구를 찾지 못해 정상에 오르지 못하고 중턱에서 헤매다 적당한 곳에서 그림을 그리고 내려왔던 적이 있었다.

다시 도전하기로 했다. 3월 초순 토요일 아침 6시, 인천에서 출발하여 도선사 아래 주차하고 산에 올랐다.

힘겹게 백운대 정상에 오르니, 사방 어디를 봐도 웅장하고 경이로운 풍광이다. 이 아름다운 경치에 매료되어 기념 촬영도 하고 수묵화로 옮겼다. 백운대 정상에서 그림을 그리는 동안 빗방울이 조금씩 떨어진다. 몸은 젖어와도 구름이 휘감은 산의 운치가 너무 아름다워 빗속에 한참을 서 있었다.

일반적인 산에 비해 국립공원은 입산 금지구역이 많아서 그림 그릴 장소 찾기가 힘들다. 경치 좋고 한적한 곳을 찾다 보면, 위험해도 어쩔 수 없이 그런 곳에서 그림을 그리게 된다. 기암절벽의 산에서는 이 안전사고에 특별히 유의해야 한다.

숲속 화실 80

<북한산의 자태>, 수묵화

숲속 화실

새소리

물소리

시원한 바람

향기로운 녹음

나뭇잎 사이로

반짝이는 햇빛과

높고 푸른 하늘은

삶의 기운과 평안을 준다.

오늘도

숲속 화실에서

기운생동

진심경(眞心境)을

담아 보았다.

2. 경기도

1) 오난산 50m 내외 - 벚꽃

경기도 시흥시 은행동

4월 초, 벚꽃이 활짝 핀 오난산을 찾았다. 이 산은 주변에 은계호수가 있어 주민들의 휴식 공간으로도 인기가 많다.

오난산에 만개한 벚꽃을 감상하고 꽃향기를 맡고 사람의 환한 웃음소리를 들으니 비로소 진짜 봄을 맞는 것 같다. 아름다운 곳에 있으면 나도 모르게 선한 사람이 되는 듯 작품도 맑아진다. 휴식! 숲속 화실 본질에 가장 어울리는 활동! 이다.

오난산에서의 봄맞이 작품 구상

2) 옥구산 95m – 산과 바다

경기 시흥시 서해안로 277

바닷바람과 산바람이 함께 머무는 옥구산. 바쁜 일상을 보내다가 쉼표 한 점 남기어 쉬어 가는 곳. 산 너머 가물가물 보이는 바다에서 불어오는 바람을 가슴 깊이 호흡한다. 마음을 가볍게 어루만지는 하루가 되었으면 좋겠다. 혹여 뭔가가 조금이라도 쌓인 것이 있다면 이 숲속에 다 내어주고 홀가분해지기를 소망해 본다. 이런 공원 속에서 한가히 걷고 작품을 구상하고 그림을 그리는 것은 큰 행복이다.

옥구 공원에서

옥구산 절벽의 숲속 화실

<옥구산 절벽>, 수묵화

3) 설봉산 394m - 도자기 성지

경기 이천시 마장면 장암리 산 24-1

이천 도자기 축제가 열리는 설봉공원. 이 공원을 품고 있는 설봉산을 한 번쯤 올라가 보고 싶었다. 마침 설봉공원 안에 있는 이천시립미술관에서 한국화가 '이석구 교수 회고전' 관람 후 여유 시간이 있어 설봉산 정상에 오르기로 했다. 길을 잘 몰라 찻길을 따라 올라갔는데 길이 가파르고 길었다. 힘겹게 올라가 이천 시내와 설봉공원이 내려다보이는 중턱에 자리를 잡고 쉬었다. 여기 의젓한 소나무 아래 있는 바위에서 스케치하기로 했다. 자리에 잠시 앉아서 영감을 받고 산의 특성을 살려 그림을 그리기 시작했다. 이천시를 지켜보는 듯한 바위와 소나무를 그렸다. 지역의 산마다 특성이 있다. 설봉산은 봉황의 날개가 이천을 품고 있는 듯하다.

지역의 문화를 느끼고 산의 기운을 받아 그림을 그리다 보면 그 지역의 특성이 그림에 표현되는 것 같다.

설봉산 중턱의 숲속 화실

바위와 소나무, 도자기에 그리듯 담백하게 표현했다.

4) 바라산 428m – 365계단

경기 의왕시 바라산로 84

4월의 쾌청한 봄날, 바라산 자연휴양림을 산책하며 자연미에 푹 빠져 보았다. 자연휴양림에는 풍욕장과 치유의 숲길이 조성되어 있다. 풍욕은 프랑스 의학자 로브리 박사가 창안해 '로브리 요법'이라 불린다. 풍욕은 아토피와 같은 피부병이 있는 사람들에게 효과적이며, 암이나 위궤양 등 난치성 질환이 있는 사람들도 꾸준히 하면 병세가 좋아진다고 한다.

산 중턱에 '바라 365 희망 계단'이 있다. 이 365계단은 15일 간격으로 24절기를 구분해 놓았는데, 입춘으로 시작하여 대한까지 계단 좌·우측에 번갈아 가며 적혀 있다. 희망 계단을 오르니 정상이 보인다.

거친 숨을 쉬면서 정상에 올라, 가까이 보이는 노송과 멀리 겹겹이 둘러있는 산들을 수묵화로 그렸다. 연초록 숲속에서 솔바람 맞으며 그림을 그리는 것은 크나큰 축복이다.

정상에서 멀리 광교산, 백운산, 바라산, 우담산, 청계산으로 이어지는 '의왕 대간'이 보인다. 북쪽에는 관악산이 있다. 바라산 아래에는 백운호수, 산 중턱에는 산림야영장이 꾸며져 있어 많은 사람이 찾는다.

8년 전에는 백운호수 근처가 아름다운 숲이었다. 이젠 많이 변해서 아파트와 상가가 들어선 숲속 도시가 되었다.

5) 삼성산 481m - 기인

경기 안양시 만안구 석수동 산 10-1

삼성산은 산세가 예쁘고 높지 않아 산책하는데 부담이 적다. 바위와 소나무가 잘 어우러지고 시야도 넓어 산수화 그리기에도 딱 좋다.

코로나로 거리 두기가 한창일 때 삼성산을 찾았다. 그때는 외출 시 마스크 착용이 필수였다. 코로나가 전염되지 않도록 산속에서도 마스크를 착용하게 했는데, 지금 생각하면 산속에서까지 그렇게 방역해야 했나 싶다.

그때는 코로나를 피해 산책하며 자연을 감상하고 그림을 그리는 것이 큰 즐거움이었다. 산에서 영감을 받아 흰 화폭에 수묵으로 일필휘지하고 나면 우울했던 마음이 조금은 가벼워졌다.

산에서 그림을 그리다 보면 지나가는 등산객에게서 여러 말을 듣는다. 특히 겨울에 산속에서 그림을 그리면 신기하다는 듯 바라보기도 한다. 찬 바람이 가시지 않은 2월, 삼성산에서 그림을 그리고 있는데 지나가는 등산객들이 내 모습을 보고는 "기인이 여기 있네" 하는 것이다. 나는 의도치 않게 삼성산 기인이 되었다.

숲속 화실 80

　바위에서 삼막사가 보이는 능선을 그렸다. 겨울 산은 전경이 잘 보여 그림그리기에 제격이다.

<삼성산 능선>, 수묵화

6) 수리산 489m - 마음 수리

경기 군포시 산본동 산 28-2

공주에 계시는 어머니께 문안드리고 인천 집으로 올라오는 길에 수리산을 들러 그림을 그렸다. 일부러 시간을 내어 산에 그림을 그리러 가기도 하지만 다른 일정과 맞물리면 겸사겸사 오고 가는 길에 숲속 화실을 찾아 그림을 그릴 때가 있다. 이렇게 틈새로 그림을 그리는 일은 오히려 힐링도 되고 즐거울 때가 많다.

군포시중앙도서관 주차장에 주차하고 주변 경관과 도서관 구경도 하면서 조금 여유롭게 산에 오르기 시작했다. 등산길엔 돌들이 많았다. 도심 속 산들이 그렇듯 정상에 올라 보니 산 아래 풍경은 아파트로 가득했다. 이 산도 이 시민들의 숨길, 숨통이 되겠구나! 라는 생각이 들었다. 정상 인근 바위에서 산수화를 그리고 한숨을 돌린 다음 하산했다. 산 아래 공원에서는 가수 노랫소리가 흥겨웠다. 많은 사람이 감상하며 산속에서 휴식을 취하는 모습이 평온해 보였다.

수리산은 사람들의 각박한 일상, 숨 가쁜 마음을 수리하는 도심 속 치유의 숲인 것 같다.

숲속 화실 80

수리산 숲속 화실

<수리산 능선>, 수묵화

7) 청계산 582m - 산림 보호

경기 과천시 막계동 산 35

4월 6일, 토요일이라 차가 밀릴 것을 예상하고 새벽 5시 40분 인천을 출발하여 청계산 공영주차장 6시 20분에 도착했다.

자가용으로 산을 향해 가는 동안 도로 길가에 벚꽃이 만발해 있었다. 산에 오르는 길, 여기저기 진달래가 활짝 피어 발길을 멈추게 한다. 새벽에 일어나 운전해서 그런지 숨이 차고 힘들어 정상까지는 못 가고 중턱 한적한 곳에 자리를 폈다. 날씨도 좋고 꽃 속에서 그림을 그리니 시간 가는 줄을 몰랐다. 이른 시간이라 등산객이 적어 그림 그리기도 좋았다.

무채색인 수묵화로 진달래의 느낌을 어떻게 표현할까? 망설여졌지만, 붓끝 물기를 빼고 파필(붓을 뭉김)을 만들어서 붓끝의 엷은 먹빛으로 톡톡 찍어 가며 진달래의 느낌이 나도록 하였더니 제법 그럴듯하게 그려졌다. 그림을 다 그리고 오전 10시쯤 하산하는데 사람들이 줄지어서 올라오고 있다. 역시 수도권의 산에는 사람이 많구나.

내려오는 길목에 이런 플래카드가 눈에 들어왔다.

'산불 조심! 푸른 숲, 그 사랑의 시작은 산불 예방에 있습니다. 전국 산림을 푸르고 아름답게'

진달래가 만개한 숲속 화실

청계산은 용이 승천했다는 전설이 있다. 산의 영험한 기운을 느끼며
수묵화로 그림을 그렸다.

8) 수락산 638m - 수락해야 오르는 산

경기 남양주시 별내면 청학리 산 103-3

큰딸이 수락산 아래 00 병원에서 입사 면접 본다고 하여 데려다줄 겸 수락산을 찾았다. 수락산은 처음이다. 산에 오를 때 초행길이면 주차 등 여러 가지에 신경이 쓰인다. 주차한 곳과 등산로 입구 쪽이 너무 멀면 산에 오르기 전부터 지친다. 더구나 시간이 넉넉하지 않으면 더 초조해진다. 여기저기 주차장을 찾다가 적당한 곳에 차를 세웠다. 등산로 입구 '수락산 석림사'가 있는 곳부터 철조망이 길게 처져 있어 한참을 올라가니 계곡이 나왔다.

한동안 가물어서 계곡에 물이 없고 바람도 없는 데다 여름 날씨로 덥고 해서 산 초입에 자리를 잡았다. 그림 그리기에는 여러모로 조건이 안 좋은 상황이다. 초행길에다 시간이 부족해서 그런지 마음과 손이 잘 움직여지지 않는다. 산이 받아주어야 편안한 마음으로 오를 수 있고 그림도 잘된다. 그림을 그리긴 했지만, 마음에 썩 들지 않았다. 수락산이 수락할 때 다시 와서 제대로 그림을 그려야겠다.

산 초입 계곡에서 그림을 그렸다. 계곡에 물이 없어 아쉬웠다.

가뭄으로 계곡에 물이 흐르지 않는다. 지구 온난화로 기후가 변하고 있다. 지구를 살려야겠다.

9) 명성산 922m – 억새 숲

경기 포천시 이동면 도평리 산 426

30여 년 전의 총각 시절부터 알고 지내던 벗들과 함께 명성산에 올랐다. 10월, 맑은 공기 쾌청한 가을 날씨, 산에 올라가는 동안 발걸음도 가벼워 콧노래가 절로 나온다. 명성산 계곡에는 땅과 하늘을 이어주는 폭포가 있다. 떨어지는 물소리가 몸과 마음을 시원히 씻어준다.

산 아래 산정호수 물결을 타고 올라온 바람결에 산마루 억새 숲이 수줍은 듯 살랑살랑 춤사위를 펼친다. 억새 숲에 화구를 펴니 덩달아 내 붓도 춤을 추는구나.

명성산 숲속 화실

명성산 억새 숲

<바람에 흔들리는 억새 숲>, 수묵화

10) 운악산 937.5m – 안개

경기도 포천시 화현면 화현리 산 202

등산하는데 흐리고 금방 비가 쏟아질 듯 산과 하늘에 안개와 구름이 가득하다. 아무나 허락하지 않는 신비감이 느껴진다. 한여름 녹음 짙고 안개 가득한 푸른 산, 빨강 티셔츠를 입고 산을 가르며 올랐다. 산 능선이 보이는 가파른 바위에 올라 화구를 펴고 산의 기운을 화폭에 담는다.

멀리 보이는 산 능선을 그리는데 이슬비가 내 피부를 적셔 붓끝에 신비감이 더욱 느껴졌다.

보슬비가 촉촉이 내리는 운악산　　　　　　　　<운무>, 수묵화

산을 걷다 보면 산의 기운이 발로 이어지고 가슴으로 전달
된다. 산의 기운이 발을 통해서 온몸으로 충전되는 것 같다.

- 작가 노트 -

3. 인천

1) 함봉산 61.8m – 산은 산, 사람은 사람

인천 부평구 십정동

세월은 유수와 같다고 했던가. 부평에 있는 중학교 미술 교사로 입문한 지 어느새 34년이 흘렀다. 지난 세월을 추억하며 처음 발령받은 부평 지역의 함봉산을 찾았다. 10년이면 강산이 변한다는 말에 의하면 세 번은 변했을 터이다. 산의 자태는 크게 변하지 않았지만, 산 둘레는 어지러울 정도로 온통 아파트와 건축물, 인공구조물들이 성벽처럼 겹겹이 에워싸고 있다. 산은 그대로이고 산 아래 주변 경치와 사람만 변한 듯하다.

숨이 턱까지 막히는 시내 한복판에 있는 함봉산은 부평의 숨통이다. 산 아래는 건물들 사이에서 들려오는 엔진소리와 온갖 굉음이 뒤섞여 시끄럽기 짝이 없다. 이 거대한 아파트 성곽을 빠져나와 이 산 정상에 올라서야만 비로소 거친 숨을 내쉴 수 있다.

이 소음의 무덤에서 벗어나 정상에 올라 숨을 가다듬으며 화구를 편다. 남북으로 길게 뻗은 함봉산 줄기에 목이 잘린 아까시나무 몇 그루가 버티고 있는 것이 눈에 들어온다. 수묵

숲속 화실 80

화로 일필휘지 그리고 나니 마음이 한결 편안해졌다.

함봉산 스케치. 12월 중순인데 봄날처럼 포근하다.

함봉산에는, 일제가 강점 말기 육군조병창의 지하화를 추진했을 때 강제 동원된 조선인들이 만든 많은 인공동굴이 있다. 이런 슬픈 역사를 기억하고 있을 나무의 자태가 위대해 보인다.

2) 골막산 78.5m – 새벽 화실

인천 서구 백석동 산 70-2

새벽 4시 40분 기상, 대충 세면 후 아침 식사를 하고 5시 30분에 출근을 서두른다. 주거지는 인천 남쪽 연수동, 직장은 인천 북쪽 백석동, 주거지와 직장까지는 20km. 시내 한복판을 통과하는 길이라서 정상적인 출근 시간에는 차가 너무 많이 밀려서 아예 새벽 일찍 출근하는 것이다.

이른 시간이라 차가 밀리지 않는다. 6시 10분 직장 근처에 도착, 한국주얼리고등학교 들어가는 골목 골막산 입구에 주차하고 화구를 챙겨 산으로 향한다. 차 안에는 항상 화구를 챙겨 다닌다. 언제 어디서나 그림을 그릴 수 있도록 준비가 되어 있다. 골막산은 경사가 원만하여 산책 코스로도 아주 그만이다.

해가 일찍 뜨니 산에 올라 그림 그리기가 한층 수월하다. 산 중턱 숲속에 화구를 펼치고 아침 숲속의 싱싱하고 푸르른 느낌을 화폭에 담는다. 이른 아침, 상큼한 숲속에서 그림 그리는 것은 말로 표현하기 어려울 정도로 기분이 좋다. 한 시간 정도 그림을 그리고 나면 몸이 약간 피곤해 온다. 화구를 챙겨 학교로 돌아온다. 출근 시간이 아직 남았으니 좀 쉬어도 되겠다.

숲속 화실 80

　5월 중순부터 6월, 7월 초까지 2개월 정도의 아침 숲속 화실은 상큼해서 그림 그리기에 좋다.

나무를 주제로 한 수묵화

3) 서풍받이 80m - 국가지질공원

인천 옹진군 대청면 대청리 산 291

인천의 섬 중에 가장 아름답다는 대청도를 3박 4일 동안 지인과 함께 스케치 겸 낚시 여행을 다녀왔다. '서풍받이'가 잘 보이는 곳에서 넓은 바다와 파도 소리를 들으며 그림을 그리니 꿈만 같다.

숲속 화실 80

4) 봉재산 103m - 황톳길, 억새밭

인천 연수구 동춘동 산 53-1

억새와 황톳길로 유명한 봉재산. 집에서 걸어서 갈 수 있는 거리에 있어 계절이 바뀔 때마다 이 숲속 화실을 즐겨 찾곤 한다. 날씨가 좋으면 황톳길을 맨발로 걷기도 하고, 한적해지면 억새밭 속에서 그림을 그릴 때도 있다.

그림을 그리다 보면 해가 지면서 붉은 노을이 펼쳐진다. 갈대와 노을의 환상적인 풍경 속에서의 그림 그리기는 그 자체 한 폭의 그림이 되기도 한다. 바람에 흔들리는 억새를 화폭에 담다 보면 어느새 나의 마음도 아름다운 가을이 되어 있다.

봉재산의 가을, 억새밭

<가을바람에 흔들리는 억새>, 수묵화

　어느 여름날, 억새밭 사이로 나 있는 황톳길을 걸은 후 가벼운 마음
으로 그림을 그리다.

5) 월미산 108m - 산과 바다

인천 중구 월미로 419

4월 4일 목요일, 퇴근하자마자 월미산을 찾았다. 개나리가 활짝 피고, 벚꽃은 봉오리가 몽글몽글 벌어지고 있었다.

산책길 봄꽃 놀이하면서 정상에 올랐다. 평일 저녁 시간인지라 사람들이 거의 없어 그림 그리기 좋았다. 인천 앞바다와 영종도가 보이는 월미산 숲속 화실에 화구를 펴고 인천의 역사와 문화를 담은 수묵화 한 편 완성!

산과 바다를 품어라. 경사가 완만한 월미산 산책로는 잘 가꾸어진 나무숲이 터널을 이루고 있어 산책하기에 좋다. 향긋한 나무 향기와 새소리가 심신을 편안하게 해준다.

개항과 인천상륙작전을 기억하는 인천 앞바다 현장을 바라보며

숲속 화실 80

6) 관모산 162m - 공원과 이어지는 산

인천 남동구 장수동 산 78

산의 형태가 모자 같다고 해서 관모산이라고 한다. 인천대공원에서 숲길로 이어지는 관모산 탐방로는 공원과 이어져 있어 많은 사람이 찾는다. 경사가 완만한 길도 있고, 경사가 심한 곳도 여럿 있다. 북향은 바위 계단으로 경사가 가파르지만 남향은 완만하여 걸을 만하다.

공원에서 호수 주변을 걷다가 꽃구경도 하며 여유롭게 산에 오르다 보면 힐링이 되면서 마음이 평온해진다.

날씨가 약간 쌀쌀하긴 했지만, 봄빛에 취해 산 중턱에서 그림을 그렸다.

인천대공원에서 바라본 관모산

숲속 화실 80

7) 청량산 172m - 인천의 명산

인천 연수구 청학동

평소에도 누구나 가볍게 오를 수 있는 청량산 정상에서는 인천 앞바다와 연수구, 송도 신도시가 한눈에 보인다. 바위와 나무가 아기자기하게 어우러져 산책하기에 좋은 이 산은 나에게 숲속 화실의 처음을 열어주었다.

전철도 멀고 교통도 불편하지만, 이 청량산 아래에서 오랜 기간 살고 있다. 15여 년 전 우울감이 있었을 때, 매주 3~4일 정도 2시간씩 산책을 했다. 이때 치유되어 더욱 이 산을 사랑하게 되었다.

숲속에서 본격적으로 그림을 그리기 시작한 것은 족저 근막염으로 걷기가 힘들어지면서부터였다. 숲속에서 그림 그리는 것에 익숙해지면서 치유도 되고 마음도 평온해졌다. 그림 그리고 싶은 마음이 동하면 화구를 챙겨 몇 걸음만 걸으면 닿을 수 있는 청량산 숲속으로 향한다. 우리집 거실에서 바로 보이는 청량산은 나의 놀이터이자 가장 많이 찾는 숲속 화실이다. 이 화

여름에는 모기장 속에서 그림을 그린다.

실은 계절을 가리지 않고 언제나 열려 있다. 봄에는 풀 향기에 저절로 발길이 산으로 향하고, 더울 때는 볕을 피해 시원한 나무 그늘에 화구를 펴게 된다. 낙엽이 지면 낙엽을 밟으며 숲속 화실에서 자연의 정취를 만끽하고, 눈이 오면 눈이 오는 대로 눈을 맞으며 자연을 즐긴다. 청량산은 시야가 트이고 너럭바위가 많아서 숲속 화실로 안성맞춤이다.

청량산 겨울 숲속 화실

어느 겨울날 아침, 눈을 떠보니 온 세상이 아름답게 설국으로 펼쳐져 있었다. 함박눈이 쏟아지니 설레는 마음이 앞서서 화구를 챙겨 평소 그림을 즐겨 그리던 산 중턱으로 갔다. 눈이 내리고 사람이 없어 한적하니 그림 그리기에 최적이다. 눈을 맞으며 그림을 그리니 그렇게 좋을 수가 없다. 겨울 숲속 그림은 손으로 그리긴 해도 실은 맑은 마음과 정신, 산에서 느

숲속 화실 80

꺼지는 기운으로 그려진다. 눈 속에서 그림을 그리다 보면 눈
을 닮아 나도 순백으로 순수해지는 것 같다.

<여름 숲속 화실>, 수묵담채화

한국화는 표현 방법에 따라 수묵화, 수묵담채화, 채색화 3가지로 구분
한다. 나는 주로 수묵화로 그리고 있지만, 상황에 따라서 수묵담채화로
도 표현한다. 이 작품은 여름에 그린 작품으로 숲속을 수묵담채화로 그
렸다.

8) 원적산 196m - 능선이 아름다운 산

인천 부평구 산곡동 산 98-2

산을 사랑하는 서양화가 C의 안내로 천마산을 탐방했다. 이 화가는 산악회 회장으로도 활동하는 숲속의 보물 작가이다.

인천시 부평구와 서구 경계에 있는 천마산은 경사가 완만하여 무릎에 부담이 없고 즐거운 마음으로 탐방하고 그림도 그릴 수 있는 산이다. 아름다운 능선이 오르락내리락하고 조망이 트여서 인천 관내를 한눈에 볼 수 있다.

서쪽에서 등산을 시작할 때는 석남동 약수터 또는 서구예술문화회관에 주차하고 산행을 시작하면 된다. 석남동 약수터에 주차하고 등산을 시작했다.

나무들이 그리 크지 않고 간간이 소나무가 굽이굽이 자라고 있어 잘 가꾸어진 분재 정원 같기도 하다. 능선 정상마다 무릉도원에 온 것처럼 휴식할 수 있는 팔각정이 있다.

주말이라 사람도 많고 동행인이 있어 일정상 그림을 그릴 수 없어서 산행은 자연미를 탐색하는 것으로 만족해야 했다.

한참 시간이 지난 후에 천마산을 그리워하는 마음으로 추억을 생각하며 화폭에 담았다. 인천에 이렇게 예쁜 산이 있어 참 좋다.

능선이 오르락내리락 굽이굽이 아름다운 원적산

숲속 화실 80

9) 만수산 201m - 무장애길

인천 남동구 만수동 산 1-4

만수산엔 산 입구부터 정상까지 남녀노소 누구나 걸을 수 있는 무장애길이 있다. 무장애길은 산책하는 데 장애가 없는 길이다. 저녁 늦게까지 그림을 그리다 내려오는 길이 어두웠는데 이 길에 조명이 들어와서 안전하게 내려올 수 있었다. 시민들을 위해 행정기관에서 많은 정성과 신경을 썼음이 느껴졌다. 만수동 하면 길이 좁고 복잡하다는 선입견이 있었는데 이 산책길이 시민들의 허파가 되어주리라 생각하니 감사한 마음이 든다. 이런 감사를 담아 정상에서 노을을 보면서 여러 장의 그림을 그렸다.

노을을 보면서 산의 기운을 느낀다.

만수산 정상에서

10) 거마산 210.3m - 친절한 사람

인천 남동구 장수동 산 4-1

인천에 소재한 산을 그려야겠다는 생각이 들어 그동안 가보지 못했던 산을 다니면서 그림에 담기로 했다.

그림을 애호하는 형님과 인천대공원 인근에 있는 거마산을 다녀왔다. 처음 오르게 된 거마산은 입구가 다양해서 사람들에게 물어보며 등산하기로 했다. 만수골 공영주차장에 주차하고 그림 도구를 등에 메고 산에 오르기 시작했는데, 평범한 흙산이라 그런지 주말인데도 등산객이 몇 명 없었다. 정상에서 그림을 그릴 만한 곳을 찾았으나 키가 큰 나무들이 앞을 가려 중경과 원경이 잘 보이지 않았다. 산의 특징을 살려 촘촘한 나무를 주제로 그리는 것이 좋을 것 같아서 나무줄기를 주제로 그렸다. 그림을 다 그리고 내려오는 길이 복잡해서 헤매던 참이었다. 인근 9공수 부대 철책 둘레길을 따라 내려오다가 인근 동네 사람의 도움으로 안전하게 하산할 수 있었다. 산에서 길을 잘 모를 때는 주저하지 말고 이렇게 주변 사람들에게 물어보아야 한다. '만수동 사람들은 친절하다'는 인상이 새겨지는 시간이었다. 한 사람의 인성이 그 마을 전체를 긍정적으로 평가하게 하기도 한다.

쭉쭉 뻗은 나무가 거마산 정상 부근까지 이어져 있다.

11) 문학산 217m - 긴 능선

인천 미추홀구 문학동 164-69

문학산 등산로는 접근성이 좋고 오솔길도 예쁘다. 정상부에 축조된 문학산성이 있어 볼거리가 많고, 산책하기에도 편안하다. 길게 늘어진 능선에 의젓하게 그 자태를 뽐내고 있는 소나무들이 지치고 힘든 우리의 심신을 품어주고 활력을 준다. 도심에 있는 문학산은 사막의 오아시스와 같은 역할을 하는 것 같다.

문학산 숲속 화실에서는 나뭇가지에 붓을 매달고 수묵으로 문학산의 정기를 담아 보았다. 바람에 흔들리는 붓들이 산의 기운을 느끼게 한다.

문학산은 야간에 산을 넘어 집까지 걸어서 넘어왔던 기억이 있다. 몇 번 와봤던 길이고 밤이었지만 주변의 야경의 빛이 있어 넘기에 그리 험하지 않았었다. 지금은 문학 터널 안에 인도가 보완되어 있어 연수구와 미추홀구 거리가 가까워졌다.

인천의 야경이 한눈에 들어오는 이 문학산 정상에서 가끔 음악회가 열린다. 인천의 역사를 담은 문화유산의 가치를 시민과 예술로 공유하는 이 시민 대화합 음악회에 많은 사람들의 관심과 애정이 쏟아졌으면 좋겠다.

숲속 화실 80

문학산 숲속 화실, 나뭇가지에 붓을 걸고 그림을 그리다.

소나무, 수묵화로 그리기

12) 낙가산 235m - 눈썹바위

인천 강화군 삼산면 석모리

사계절 중에 가장 상큼한 숲속 화실은 4월 중하순, 꽃이 피고 새순이 나올 때이다. 정기 고사가 끝나는 날 오후, 싱그러운 날씨에 이끌려 석모도까지 왔다. 먼 길을 온 김에 해명산과 낙가산 두 개의 산을 등산하고 그림을 그리기로 했다.

낙가산은 석모도 보문사 뒷산으로 해명산과 상봉산 중간 능선에 있다. 먼저 해명산 정상에서 그림을 그린 후, 낙가산에 올랐다. 연달아 두 개의 산에 오르니 다리에 무리가 가고 체력이 고갈되어 온몸이 땀에 젖는다. 하루에 산을 두 개 타는 것은 약간 부담이 된다. 그런데도 산에 오르는 것은 그만큼 산에서 느끼는 매력이 있기 때문이다.

낙가산을 오를 때는 보문사 주차장에 주차하고 등산로를 따라 정상 인근에 다다랐다. 넓고 평평한 눈썹바위에서 오랜 시간 수묵화로 진심경을 표현하다 보니, 산, 바다, 그리고 멀리 보이는 섬, 노을이 초현실인 풍경으로 다가온다. 이렇게 아름다운 풍광을 바라보다 보면 저절로 무아지경에 빠지게 된다. 산에 오를 때는 평범한 등산객이지만 붓을 잡고 그림을 그리는 동안은 신의 경지에 올라 세상을 창조하는 기분이 드는 것이다.

낙가산 눈썹바위 위에서 상봉산 스케치

낙가산에서 바라본 상봉산 능선, 수묵화

숲속 화실 80

13) 국사봉 237.1m - 무의도 중턱

인천 중구 무의동 산 151-1

국사봉은 전국 여러 곳에 있다. 집에서 가까운 무의도에 있
는 국사봉 중턱에서 하나개 해수욕장을 바라보면서 그림을 그
렸다. 산에서 바닷바람을 마시며 그림을 그리니 스트레스가
바람과 함께 날아가 버리는 듯하다.

14) 백운산 255.5m - 바다와 사람

인천 중구 운남동 산 121-1

작년에 지인과 함께 등산할 때는 백운산 등산로 입구를 잘 찾았는데, 이번에는 혼자 와서 그런지 입구를 찾지 못하고 헤매다가 사람이 잘 다니지 않는 길로 들어서게 되었다. 길이 없어 숲속에서 헤매면서 능선을 따라 높은 곳을 향해 무작정 올라갔다. 가시덤불을 헤쳐 나가야 했기 어려움이 많았다. 다행히 날씨가 쾌청해서 산속이 밝아 나름대로 즐기면서 정상에 오를 수 있었다.

정상에 올라 넓은 인천 앞 바다를 보니 가슴이 뻥 뚫린다. 산에 오를 때 그림 그리기에 좋은 장소를 우연히 보았는데, 하산할 때 그곳에서 수묵으로 일필휘지 그림을 그리니 한결 마음이 가벼워졌다. 산을 헤매다가 그림 그리기에 좋은 장소를 발견하듯이 우리 인생사도 새옹지마가 아니던가.

며칠 동안 비가 와서 등산을 못하다가 오랜만에 산을 타서 그런지 숨이 찬다. 유수불부(流水不腐), 흐르는 물은 썩지 아니한다. 늘 연마하지 않으면 녹슬듯이 산책도 자주 해야 단련되는 것 같다. 모든 삶의 이치가 그러하지 싶다.

　길을 헤매다가 의외의 조망이 좋은 숲속 화실을 만나 그림을 그렸다. 그림을 그리러 여러 산을 다니다 보면 정상에서만 꼭 좋은 경치가 보이는 것은 아니다. 생각지 못했던 장소가 그림 그리기에는 더 좋을 수도 있다.

백운산에서 바라본 인천 앞바다, 수묵화

　　　　숲속 화실 80

15) 천마산 255.9m – 말이 날아가는 산

인천 계양구 효성동

원적산 등산을 한 후에 날씨가 좋아서 곧바로 천마산에 가 보기로 했다. 서구 가정동 하나 아파트 입구 인근 주차장에 주차하고 천마산을 올랐다. 그동안 높은 산을 여러 번 탐방한 경험 덕에 체력이 단련되어 200m 내외의 산은 하루에 두 개 정도 등산하며 그림을 그릴 수 있게 되었다.

천마산은 서구와 계양구를 가르는 능선이 길고 큰 산이다. 천마산 중턱 바위에 하늘을 향해 비상하는 말발굽 문양이 자연현상으로 여기저기 새겨져 있어 천마산이라는 이름을 갖게 된 것이라고 한다. 얼마 전까지는 철마산이라고도 했지만, 이는 일제 강점기에 잘못 지어진 이름이다.

산 아래에는 큰 군부대가 있고 군부대 둘레에 철조망이 쳐져 있었다. 동행한 지인 작가의 말에 의하면 사격 훈련과 폭격 훈련이 자주 있어서 산 일부 구간은 가끔 통제될 때도 있다고 한다. 철망이 둘러쳐 있어서 분위기는 삭막하지만, 등산하는 코스로는 무난하다. 산 중턱에서 바라본 정상은 팔각정이 있고 산의 양감이 크게 보인다.

탐방하는 날은 산을 느끼는 정도로 만족해야 했고, 시간이 한참 지난 후 그 느낌을 생각하며 그림을 그렸다. 김치도 숙

성이 되어야 맛이 있듯이 산에 대한 그리움과 숙성의 시간이
지나야 좋은 그림이 그려지는 것 같다.

천마산 전경을 바라보며 작품 구상

숲속 화실 80

16) 화개산 259m – 우리의 소원은 통일

인천 강화군 교동면 상용리

서부 전선 최북단에 있는 화개산에서 스케치했다. 인천 난정 평화 교육원 주관으로 실시하는 평화교육에 왔다가 자유시간을 틈타 화개공원에서 모노레일 타고 정상에 올라 그림을 그렸다. 화개산에서 북한이 바로 보인다. 분단의 아픔을 고스란히 안고 있는 산에서 그림을 그리니 감회가 새롭다.

'우리의 소원 통일' 노래가 생각난다. '우리의 소원은 통일, 꿈에도 소원은 통일, 이 정성 다해서 통일, 통일을 이루자, 이 겨레 살리는 통일, 이 나라 살리는 통일, 통일이여 어서 오라 통일이여 오라'. 통일이 되어 우리 어머니 생전, 고향인 평양에 가보실 기회가 얼른 왔으면 좋겠다.

멀리 보이는 화개산 정상

화개산에서 보이는 북한 땅

남북 분단의 아픔을 붉은색으로 표현하여 그린 부채

17) 소래산 299.4m – 가파른 돌산

인천 남동구 장수동 산 65-1

소래산은 경기도와 인천 중간에 있는 경사가 가파른 돌산이다. 올라가는 길이 계단으로 이어져 있어 가쁜 숨을 내쉬며 정상에 도착했다. 산 아래는 산과 아파트로 중첩되어 인천 앞바다까지 이어져 있다. 이 산과 아파트가 이어진 풍경을 수묵으로 어떻게 표현할까? 망설여진다. 집에서 그리 멀지 않아서 가끔 등산했던 산이지만 붓 들기가 쉽지 않은 산이다. 여러 장을 스케치했는데 흡족하지는 않아서 마음에 드는 작품이 나올 때까지 다시 와서 그림을 그려야겠다.

소래산 정상. 날씨도 춥고 코로나가 유행해서 마스크를 착용하고 그림을 그렸다.

18) 해명산 324m - 바다와 섬

인천 강화군 삼산면 매음리

4월 말, 연녹색으로 물든 해명산을 찾았다. 전득이고개 주차장에 주차하고 산에 올랐다. 등산 입구에 자그마한 출렁다리가 있어서 기념 촬영을 하고 상큼한 숲속 길에 들어섰다. 사람은 환경에 많은 영향을 받는다. 아름다운 경치를 보면서 피톤치드를 마시면 감성이 풍부해지고 기분도 좋아진다. 해명산은 산과 바다, 농어촌이 보이는 환상적인 풍광이 펼쳐지는 곳이다. 산을 오르면서 보이는 풍경은 보는 방향에 따라 수시로 변한다. 바다와 섬, 능선, 넓은 평야가 번갈아 보인다. 같은 높이의 산이라도 섬에 있는 산은 내륙에 있는 산보다 등산길이가 길다. 내륙은 차로 어느 정도의 해발 고도까지 올라가서 출발하지만 섬의 산은 온전하게 해발 시점부터 오르기 때문이다.

해명산 정상에서 바다를 보면서

해명산에서 보이는 섬. 수묵화

숲속 화실 80

19) 고려산 376.5m – 진달래 군락지

인천 강화군 내가면 고천리 산 131-1

오래전부터 말로만 듣던, 진달래 군락지로 유명한 고려산을 찾았다. 22대 총선 사전투표를 미리 하고 본투표일 아침 일찍 고려산을 찾았다. 고인돌 주차장에 오전 8시에 도착했는데 생각했던 것보다 사람이 많았다. 주차장에서 정상까지 거리가 길어 시간이 오래 걸렸다. 걸으면서 재삼 느끼는 바는 '아름다운 것을 보려면 그만큼 노력해야 하고 힘이 드는 것이구나' 하는 평범한 진리이다.

진달래 군락지 주변에 다다르니 많은 사람이 환상적인 풍경에 감탄하며 서 있었다. 나도 꽃 능선을 따라 꽃향기에 취하여 봄 길을 한없이 걸어 보았다. 봄볕에 반하여 꽃동산에서 그림을 그리니 이보다 더 좋을 수는 없을 것 같다. 진달래가 만개한 꽃동산에서 진달래를 무채색인 수묵화로 표현하기는 쉽지는 않았지만, 진심경(眞心景)으로 현장에서 풍경을 보고 심상을 더하여 그림을 그리니 작품이 담백하고 멋있어졌다.

많은 사람이 새벽부터 불편함을 마다하지 않고 구경하러 오는 것을 보고 느낀 것은 '사람에게 기쁨을 주려면 그만큼 매력이 있어야 한다'라는 것이다. '매력이 넘치는 사람이 되도록 노력해야겠다.' 생각해 본다.

고려산 진달래 군락지의 화사함에 흠뻑 빠져 그림을 그린다.

진달래 동산. 수묵화

20) 계양산 395m - 산성산

인천 계양구 목상동 산 57-1

인천시 행정구역은 남북으로 고구마처럼 길게 늘어진 형태이다. 바다 쪽에는 영종도와 백령도를 비롯한 섬들이, 그 서북쪽으로는 강화도가 있는데 마치 고구마에 줄기에 작은 고구마가 이어져 달린 형상이다. 계양산은 고구마로 하면 중간에서 약간 북쪽 지점에 있는 산이다. 인천 사람이 많이 찾는 산이지만 내가 거주하는 곳과 반대 방향이고 거리가 멀어서 자주 가지는 않는다.

계양산 공영주차장에 주차하고 초입 계단을 어느 정도 오르니 계양산성이 눈에 들어왔다. 돌이 많고 경사가 가파른 산이라 안전을 위해 등산로가 나무 계단으로 정비가 되어 있었다. 30년 전 산에 오를 때는 나무가 별로 없었는데 이젠 제법 많이 자라 숲이 우거졌다.

정상에 정자가 있어 많은 시민이 그곳에서 숨 고르기를 한다. 정상에서 풍광을 둘러본 후, 반대편 산자락으로 몇 걸음 옮겨 화구를 펴고 산 능선을 보면서 그림을 그렸다.

계양산 설명서에 '계양산성의 둘레는 약 1,180m인데, 성벽의 외부는 잘 다듬은 돌로 약 5m 높이로 쌓아 올렸고, 내부는 흙과 돌로 쌓았다. 축조는 삼국시대로 추정되고 현재에 이르기까지 군사 및 교통의 요충지이다.'라고 씌어 있다.

정상이 보이는 계양산 숲속 화실

<계양산>. 수묵화

21) 마니산 470m – 민족의 영산

인천 강화군 화도면 문산리

마니산 정상에서 보면 서쪽으로는 산 아래 어촌 마을과 바다가, 동쪽으로는 넓은 들판이 보인다. 바다와 육지를 동시에 감상할 수 있는 산. 바다와 평지 사이에 우뚝 올라 온 바위산은 신비감을 느끼기에 충분하다. 계절별로 옷을 갈아입는 마니산. 봄의 산은 생명감을 느낄 수 있고 겨울의 산은 을씨년스럽지만, 영산의 위엄을 느낄 수 있어서 좋다. 정상으로 이어지는 능선은 조약돌을 시루떡처럼 연이어 올려놓은 듯 정교하고 조형적으로 율동감을 느낄 수 있다. 마니산은 자주 찾긴 했지만, 산에서 그림 그리기는 봄과 겨울 두 번이다. 바다의 노을을 보면서 영산의 기운을 화폭에 담았다.

겨울, 마니산 숲속 화실

봄, 마니산 숲속 화실

마니산 능선, 수묵화

숲속 화실 80　　　　　- 86 -

숲속에서 그림 그리기를 하다 보면 산림욕과 창작, 이 두 가지를 동시에 선물 받을 수 있다.

-작가 노트-

4. 충청도

1) 앞산 100m – 놀이터

충남 공주시 유구읍 추계리

앞산은 어린 시절 나의 놀이터이자 머루, 버찌, 오디, 으름 등으로 허기를 채우던 곳이다. 온돌방에 나무로 난방하던 시절, 지게에 땔감 가득 얹고 힘에 겨워 여러 번 넘어져서 울었던 아련한 추억의 산이다. 높이가 낮아서 동네 분들이 특별한 이름이 없이 앞산이라고 불렀다.

오랜만에 앞산에 올라 보니, 산의 모양과 능선은 그대로였지만 소나무는 자라서 의젓한 노송이 되었다. 산의 일부는 벌채하고 식목한 지 얼마 안 되었는지 어린나무가 자라고 있어 낯선 풍경이었다.

이날, 유달리 하늘이 높고 푸르렀다. 오랜 시간 하늘을 바라보며 옛 감흥에 흠뻑 빠졌다. 산마루에 화구를 펴고 겹겹이 흘러간 50여 년의 세월을 그림에 담았다.

어렸을 적, 친구들과 산에서 타잔 놀이, 나무에 집짓기 놀이 등을 했던 기억이 난다. 부모님 따라 산비탈에 고구마, 무, 오이 농사짓던 일도 생각이 멈춘 듯 감정이 뒤섞여 시공을 넘나든다.

어린 소년은 어느새 장년이 되어 그리운 고향을 화폭에 담는다.

50여 년 전의 아련한 추억을 담아 그린 수묵화

2) 황금산 156m - 경건과 세속

충남 서산시 대산읍 독곶리 산 230-2

황금산 능선을 사이에 두고 서쪽은 바다의 황금빛 윤슬이 반짝이는데, 동쪽은 산업공장이 늘어서 있는 풍경이 인상적이다. 바다 쪽은 태고의 신비를 느낄 수 있는 신선이 살 것 같은 환상적인 섬, 육지 쪽은 굴뚝에서 나오는 연기와 소음으로 삶의 현장을 느낄 수 있는 공장 - 경건과 세속 두 개의 대비되는 공간이 펼쳐져 있는 것이다.

산 정상에 오르니 자연스레 아름다운 바다 쪽으로 시선이 간다. 윤슬과 멀리 보이는 안개로 감싼 섬을 화폭에 담았다. 신비로움을 화폭에 모두 담지 못해 아쉬웠지만, 자연과 함께 있다는 것만으로도 감사한 시간이었다.

황금산 아래 바닷가로 자리를 옮겨 코끼리 바위를 감상하고, 몽돌해변의 동글동글한 돌들이 펼쳐진 바닷가에서 영겁의 시간을 느껴 보며 행복하였다.

경건과 세속을 넘나드는 산. 산업현장에서 누적된 삶의 피로를 산 고개를 넘으면 아름다운 바다에 풀어 놓을 수 있는 황금과 같은 황금산이다.

황금산에서 신비로운 바다를 화폭에 담다.

반짝이는 윤슬, 수묵화

3) 연미산 192m - 금강자연비엔날레 성지

충남 공주시 우성면 신웅리

연미산은 금강자연비엔날레 행사 장소라서 여러 차례 방문했던 곳이다. 금강 전경이 보이는 연미산 정상에서 경치를 관람하고 내려오다가 산 중턱에 화구를 펴고 유유히 흐르는 강물을 보면서 그림을 그렸다.

강물이 마치 바람을 타고 내 몸을 통과하여 손끝으로 흐르는 듯하다. 그 기쁨을 그림에 담아 보았다.

유유히 흐르는 강을 바라보면서 붓을 잡았다. 어제의 물이 아니고 천년 전의 물도 아니지만 강은 언제나 같은 자태로 흐른다. 나 또한 어제의 내가 아니고 10년 전의 내가 아니지만 강물이 흐르듯 살아감을 깨닫게 된다. 금강 줄기가 붓으로 이어져 그림이 살아 움직이는 듯하다.

아름다움을 보고 느끼고 그것을 재해석하여 나만의 미감으로 표현하는 지금, 시간과 공간이 하나가 되는 행복한 순간이다.

4) 성흥산 286m – 백제의 산

충남 부여군 임천면 군사리 산 1-1

대학생 때, 과 커플이었던 동기가 지금은 부부가 되어 부여에서 살고 있다. 민중미술에 관심이 많았던 친구는 퇴임 후 문화 공간 '풀씨' 갤러리를 운영하고 있다.

오랜만에 이 친구를 만나 부여를 관광한 뒤, 그림을 그리려고 백마강과 낙화암. 성흥산을 찾았다. 성흥산은 친구가 그림을 그릴 때 자주 찾는 산이라고 소개해서 가게 되었다. 정상 인근에 서 있는 느티나무의 형태가 멀리서 보면 하트 모양으로 보였다. 많은 사람이 하트 모양의 사랑 나무 아래에서 기념 촬영을 한다. 이 예쁜 하트 형태의 느티나무가 보이는 언덕 바위에 자리를 잡고 수묵화로 그렸다.

산에 오르며 심신을 단련하고 소나무 아래에서 하트 나무를 그림으로
표현하니 이보다 더 좋을 수 있을까 싶다.

사랑의 소망을 들어주는 성흥산 하트 나무를 수묵으로 담아냈다. 백제
의 고도 - 부여의 역사와 사랑이 그림 안에 스며드는 것 같다.

5) 팔봉산 361.5m - 8개 봉우리

충남 서산시 팔봉면 양길리 산 126

봉우리가 8개 있다고 해서 팔봉산이라고 한다. 3월 23일 오전 5시 40분, 인천에서 출발하여 팔봉산 산행을 시작했다. 안개가 가득해서 정상이 보이진 않았지만, 화구를 등에 메고 산에 오르기 시작했다. 바위가 많고 경사가 심했다. 1, 2봉을 지나 3봉 정상에 화구를 폈다. 안개로 인해 산 아래는 보이지 않았지만, 바위에 앉아 신선이 된 듯, 오전 내내 구름 위에 앉아 산수화를 그렸다.

등산객들이 지나가며 멋지다고 응원도 하고, 내 그림 그리는 모습을 찍기도 한다. 서서히 안개가 걷히니 8개의 봉우리가 멋지게 펼쳐진다. 오를 때는 이 산이 그렇게 높고 가파른 산인 줄 몰랐다. 그림을 그리고 하산했을 때는 안개가 모두 걷혀서 산봉우리의 멋진 자태가 그대로 드러나고 있었다.

충청남도에도 이런 산이 있었나 할 정도로 기암괴석이 웅장한 신비로운 산이다. 충남에서 그림 그리기에 경치가 좋고 영감을 주는 산으로 계룡산, 대둔산, 용봉산에 이어 이 팔봉산을 꼽을 수 있겠다.

　봉우리가 8개라고 해서 팔봉산이라고 한다. 제일 아름다운 제3봉 정
상에 자리를 잡고 그림을 그렸다.

안개 낀 팔봉산. 수묵화

6) 영인산 364m - 억새

충남 아산시 염치읍 강청리 산 34-2

바람에 억새가 흔들리는 늦가을, 영인산에 올랐다. 잘 가꾸어진 억새밭에 노을이 지기 직전, 억새밭 사이에 화구를 펴고 흔들리는 억새의 느낌을 표현해 보았다. '여자의 마음은 갈대와 같다'고 했던가, 바람 부는 대로 흔들리는 억새 숲은 내 마음도 함께 흔든다.

억새 숲속 화실

영인산 노을

7) 용봉산 381m - 남안의 금강산

충남 홍성군 홍북읍 상하리 산 1-2

고향 공주에 내려가는 길에 가끔 들러 등산하고 그림 그리는 용봉산. 충남의 금강산이라고 불리는 용봉산은 바위 절경이 용의 형상과 봉황의 머리를 닮은 데에서 이름이 유래했다.

등산 초입 가파르긴 해도 산이 높지 않아서 곧 정상 능선에 다다를 수 있다. 산이 험하지는 않으나 산 전체가 기묘한 바위와 봉우리로 이어져 있고 절벽에 소나무가 어우러져 한 폭의 산수화 같다.

용봉산은 계절별로 여러 번 올랐지만, 산에서 그림을 그릴 때마다 산의 기운이 새롭게 느껴진다. 봄에는 새 생명의 신선함으로, 여름에는 더위를 피해 산에 올라 그림을 그리니 산들바람에 그림이 절로 그려진다. 한여름 시원한 바람이 부는 노송 아래에서 그림을 그리면 '신선이 따로 없구나!' 하는 생각이 든다.

멀리 보이는 절벽 바위의 소나무 모습은 신비스럽기도 하고 위태롭게 느껴지기도 한다. 우리네 삶도 산과 같이 신비스러움과 위태로움이 동시에 올 때가 있다.

용봉산 소나무 아래 숲속 화실

용봉산 정상에서 바라본 능선 전경. 수묵화

숲속 화실 80

8) 관불산 399m – 교가

충남 공주시 유구읍 녹천리

관불산은 유구 지역사회의 큰 버팀목이 되는 영산이다. 시내 서쪽에 있는 경사가 완만하고 흔히 볼 수 있는 평범한 흙산이지만 유구초, 중, 고교 교가 가사에도 등장한다.

유구초등학교 교가에는 '관불산 높이 솟아 구름 두르고 유구 내 맑게 흘러 쉼이 없는~', 유구중학교 교가에는 '아침 햇빛 눈부시게 떠오르는 동녘 하늘 관불산 줄기차게 뻗어 내려 자리 잡은 곳 샘물처럼 흘러가서 가뭄에도 그치지 말고 온 누리에 우리 문화 우리 겨레 드날리고 아름답고 옹골지게 실력으로 높이 솟은 유구 중학교, ~', 그리고 유구에 자리 잡은 공주마이스터고 교가엔 '차령의 높은 정기 이어 내려와 관불산 자락으로 퍼져 나는 빛 뛰어난 인재들의 장인정신 같고 ~'와 같이 가사 모두에 관불산 이름이 등장한다. 학생들에게 큰 꿈을 갖게 하는 영산으로 자리 잡은 것 같다.

정상에 올라 시원하게 산들이 내려다보이는 장소에 화구를 펴고 옛 추억을 생각하며 풍경을 화폭에 담았다. 그림을 그리면서 유구중·고등학교 동창들은 지금 어떻게 지내고 있는지 궁금하다.

관불산 정상 부근의 숲속 화실

관불산에서 바라본 전경

수묵화에 담다

9) 월류봉 400.7m – 달이 머물다

충북 영동군 황간면 마산리 산 44-15

퇴임하고 귀촌해서 노후를 고향인 영동에서 보내고 계시는 손○○ 교장 선생님의 안내로 월류봉에 올랐다. 달도 머물다 간다는 월류봉(月留峰)은 달이 능선을 따라 물 흐르듯 기운다는 모습에서 이름이 붙여졌다고 한다.

굽이굽이 흐르는 강줄기가 감싸고 있는 봉우리 꼭대기에는 영화에서나 볼 수 있는 예쁜 월류정이 자리하고 있다. 근처에는 조선 중기 문인 우암 송시열(1607~1689) 선생이 머무르며 학문을 닦고 후학을 길렀던 곳인 한천정사도 있다.

월류봉의 아름다운 경치

월류봉에서의 스케치

월류봉, 두방지에 수묵화

숲속 화실 80

10) 태화산 416m - 마음의 휴식처

충남 공주시 사곡면 운암리 산 74-2

마음이 복잡하고 우울할 때, 마음의 평정과 충전이 필요할 때 찾는 태화산은 나의 오랜 벗이다. 여기에서 나의 육신과 감성, 뼈가 자랐다. 그래서인지 언제나 어머니의 품속처럼 포근하고 따뜻하다.

태화산 중턱에 자리 잡은 북가섭암엔 은퇴하고 휴양하는 스님이 계신다. 이 스님과 암자에서 곡차 한잔하고 그림을 그리면 맑은 공기, 새소리가 고스란히 그림에 담긴다.

겨울, 북가섭암 산사 앞 숲속 화실

숲속 화실 80

녹음이 짙어 가는 봄, 태화산 숲속 화실

깊은 산에 홀로 앉으니 세상사 부질없어 사립문 닫아 놓고 종일 참선이나 한다네. 한세상 돌아보니 남은 물건 별로 없고 새로 달인 차 한잔, 책 한 권뿐이로다.

11) 계족산 429m – 황톳길

대전 대덕구 장동 453-1

맨발 걷기가 건강에 아주 좋다고 하는데, 그중에서도 황톳길 걷는 것이 제일이라고들 한다. 계족산은 황톳길 총길이가 14.5km가 되어 황톳길 걷기 성지로 알려져 있다.

황토 1g에는 인체에 유익한 좋은 미생물이 2억 마리가 있다고 한다. 황톳길을 걷다 보면 기분이 상쾌해진다. 이는 황토 속에 좋은 미생물과 인체가 하나가 되면서 세로토닌이 많이 나와 행복해지기 때문이 아닐까 한다.

맨발 걷기는 면역체계 강화, 근육 사용 증가, 발바닥 감각 증가, 혈액의 순환 촉진, 스트레스 감소와 두뇌 발달, 균형감각이 좋아지는 등의 효능이 있다고 한다. 자연 속에서 맨발로 걷기운동을 하면 피톤치드와 같은 자연 물질을 통해 스트레스 해소와 심리적 안정감을 얻을 수 있다. 맨발로 걷는 동안 발바닥의 지압점이 자극되어 심리적인 이완을 도모하고, 스트레스 호르몬 수치를 낮춰준다. 황톳길을 걷고 나면 잠을 깊이 잘 수 있어 불면증이 해소되니 다음 날 활발하게 생활할 수 있다.

황톳길을 걷고 그림을 그리니 100세까지 살 것 같은 기분에 필력이 살아나 그림도 건강해지는 듯하다.

계족산 황톳길 숲속 화실

등산로 바닥 황토에 붙은 낙엽, 사진

숲속 화실 80

12) 금계산 489m - 어린 시절 놀이터

충남 공주시 유구읍 문금리 산 248-3

언제 눈보라가 쳤냐는 듯 겨울이 가고 설렘과 함께 꽃 피는 봄이 찾아왔다.

어린 시절 금계산에서 꽃놀이하며 달래 캐고, 간식으로 찔레순을 먹으며 허기를 채웠다. 산 중턱에 있는 곱돌 광산이었던 어두컴컴한 폐광에서, 버려진 짐 운반 수레용 레일을 타며 위험한 놀이를 하기도 했다. 고등학교 시절에는 소주병과 새우깡, 텐트를 가지고 선후배 7~8명이 함께 금계산 정상에서 1박을 했던 기억이 난다. 통제력을 잃은 젊은 피들은 술을 먹는 방법도 모르면서 소주를 바가지로 먹고 만취해서 노래를 부르고 서로 고민을 나누며 웃고 울고 구르며 일탈했던 기억이 난다. 지금 생각해 보니 아찔한 일이다.

40여 년이 지나서 추억을 더듬으며 고향에 있는 금계산을 찾아 정상에 올랐다. 산세는 예전의 기억과 별반 차이는 없었지만, 정상 부근 지형은 조금 바뀐 것 같았다. 정상에 생강나무꽃 향기와 새순의 숨소리를 들으며 추억을 담아 그림을 그리니 빠르게 시간이 흘러간다.

봄기운을 받으니, 몸과 마음에도 새싹이 돋아나듯 희망으로 가득해진다. 이런 호사를 얼마나 더 누릴 수 있을까! 시간이 날 때마다 고향을 자주 찾아야겠다.

　금계산 정상에 핀 생강나무꽃 향기를 마시며 그림을 그렸다. 생강나무 꽃은 나무 끝에서 살며시 비집고 나와 봄을 알리고 살며시 사라진다.

금계산 생강나무에 핀 봄, 수묵화

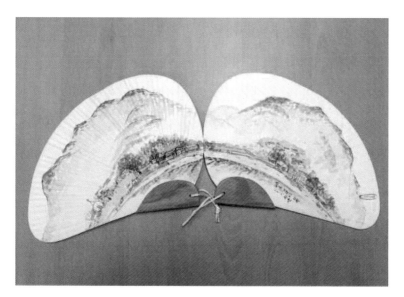

　고향을 품고 있는 금계산. 어린 시절 놀이터이기도 했던 아름다운 산
과 시골 마을을 나비 부채에 그렸다.
　예로부터 부채 바람은 신이 일으키는 것이라 믿어 왔다. 이 바람을
일으키는 기능 때문에 예전에는 부채를 바람의 힘을 지닌 특별한 존재
로 여겼다.

　　　　숲속 화실 80

13) 덕숭산 495m - 이응노 화백 작품

충남 예산군 덕산면 대치리

수덕사에서 바라다보는 덕숭산은 자태가 품격이 있고 고풍스럽다. 덕숭산 아래에 있는 수덕여관과 이응노 화백의 작품을 감상하고 산에 오르기 시작했다. 올라가는 길은 나지막한 어린 소나무와 쭉 뻗은 노송들이 서로 어울려 아름다웠다. 오래전부터 수덕사는 여러 번 방문했지만, 덕숭산 정상은 처음이다. 나무와 바위가 있는 평이한 산 정상에서 잠시 휴식을 취하고 산 아래로 조금 내려오니 그림그리기에 좋은 숲속이 있다. 자리를 잡고 화구를 폈다.

고즈넉한 숲속 화실에서 파릇한 향기 만끽하며 봄기운을 화폭에 담았다.

수덕사를 품고 있는 덕숭산 숲속 화실

숲속 화실 80

소나무와 어우러진 덕숭산 숲속. 수묵화

　덕숭산 입구에 고암 이응노 화백의 암각화가 놓여 있다. 이응노 화백이 작품 활동을 하던 수덕여관과 암각화가 기념물로 지정되어 반긴다. 이응노 화백은 전통과 현대, 동양과 서양의 세계를 접목하는 시도를 한, 우리 근현대 미술사에서 중요한 위치를 차지하는 예술가로서 국내뿐만 아니라 유럽 화단에서도 높은 평가를 받고 있다. 그의 암각화 작품을 감상하며 작품 활동에 영감을 받는다.

14) 칠갑산 561m - 콩밭 매는 아낙네

충남 청양군 대치면 광대리 산 30

칠갑산은 등산로 경사가 완만하고 폭이 넓어서 남녀노소 가족 단위로 힐링하며 어렵지 않게 오를 수 있는 산이다. 정상에 오르면 사방으로 평평한 산 능선들이 겹겹이 펼쳐진다. 마치 충청도의 느리고 속 깊은 정서를 느낄 만큼 산봉우리가 끝없이 이어진다. 충청도 언어 '그래유 ~, 뭘 유 ~, 견딜 만 해유 ~, 가봐야 알지유~, 삶이 다 그런 거지유 ~, 그류 ~ ' 처럼 칠갑산 산세도 느슨하다. 재미있는 충청도 사투리 특징이 있는데 '뭐여!!!'로 소통이 다 된다. 화가 났을 때, 놀랐을 때, 무서울 때, 황당할 때, 슬플 때, 감동일 때, 기분 나쁠 때, 기분 좋을 때 모두 '뭐여 ~ '로 통한다.

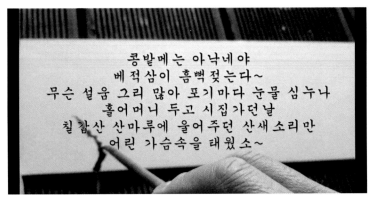

<칠갑산> 노래 가사, 아낙네의 고된 삶이 담겼다.

겹겹이 보이는 충청도의 산. 마음속을 쉽게 드러내지 않는 충청도 사람들의 느긋한 모습을 산에서도 느낄 수 있다.

정상에서 그린 그림. 능선들이 근경, 중경, 원경으로 층층이 이어진다.

숲속 화실 80

15) 가야산 678m – 마애여래상존불

충남 서산시 해미면 산수리 산 25-1

서산 가야산 하면 백제의 미소 용현마애여래상존불이 떠오른다. 지난여름에 가야산을 찾았는데 시간이 부족해서 마애삼존불만 감상하고 다녀온 게 아쉬워서 다시 가야산을 찾았다.

이날도 다른 사정으로 인하여 늦은 시간에 산 입구에 도착하니, 날이 금방 어두워져 정상까지는 못 가고, 산 중간 지점에서 그림을 그리는 것으로 만족해야 했다.

내가 추구하는 것은 운동과 미술을 융합하는 예술세계이다. 정상까지는 못 갔어도 등산하고 그림을 그려 소기의 목적을 달성했다. 이번에도 가야산의 정기를 충분히 받지 못해 아쉬웠다. 다음에 기회가 되면 여유를 가지고 가야산 정상에 올라 좋은 기운 받으며 그림을 그려봐야지.

가야산의 겨울 느낌, 수묵화

아름다운 곳에서 아름다움을 표현하는 것은 큰 은혜이자 축복
이다.

- 작가 노트 -

16) 광덕산 699m - 깨달음의 산

충남 아산시 송악면 마곡리

설 전날, 인천에서 고향 공주를 내려가는 길에 광덕산 설경에 이끌려 정상까지 올라갔다.

광덕산은 13년 전 천안 우정연수원에서 수석교사 자격연수가 있어서 연수 후에 등산했던 산인데, 그때 산에 오를 때는 등산로가 완만하고 그리 높지 않았던 것으로 기억된다. 이번 등산코스는 경사가 심하고 높다는 생각이 들어 같은 산이라도 이렇게 느낌이 다를 수 있구나!' 하는 생각을 했다. 세상사 같은 사물이라도 보는 시각에 따라 다르게 보일 때도 있기에, 어떤 일에 한 잣대로 섣불리 판단해서는 안 되겠다 생각했다.

이번 산행은 눈꽃이 활짝 핀 설산으로 환상적이었다. 이 지역에 사시는 분들도 눈꽃이 이렇게 활짝 핀 것을 처음 본다고 한다. 하늘도 맑고 포근해서 오랜 시간 하얀 눈꽃 속에서 그림을 그렸다. 그림 그리는 동안 무아지경이 되어 나도 눈꽃이 된 듯했다.

설경을 화폭에 담고 산에서 내려오는데 길이 여러 개가 보였다. 어떤 길로 갈까, 고민하다가 등산하는 분에게 물어보니 자세히 알려준다. 물어보지 않고 내려왔으면 반대 방향으로 갈 뻔했다. 세상은 혼자 사는 살 수 없고 사람과 더불어 살아야 한다는 것을 다시금 생각하게 되었다. 이래저래 깨달음이 많았던 산행이었다.

광덕산 설경, 수묵화

숲속 화실 80

17) 오서산 790m - 구르다

충남 보령시 청라면 장현리 산 52-3

억새 능선으로 유명한 보령에 있는 오서산 중턱에서 그림을 그리고 일어서다 구덩이에 발을 헛디뎌 산 아래로 굴렀다. 다행히 산 경사가 가파르지 않고 흙산이라 다치지는 않았지만, 바위산이었다면 아찔한 상황이 벌어졌을 것이다. 산에 그림 그리러 간다고 하면 가족들이 걱정을 많이 한다. 절벽이나 바위산에서 그림을 그릴 때는 각별하게 주의를 해야겠다.

건강관리와 예술을 병행한다고 등산하다가 자칫 실수하면 소중한 것을 잃을 수도 있다. 산을 탐방할 때는 가족이나 지인에게 자신의 위치를 문자로 남기는 것이 중요하다.

오서산에서 아름다움을 느끼며 그림 그리는 것, 누구나 누리는 일이 아닐 것이다. 이 또한 복이고 행운이다. 감사한 일이다.

오서산 풍경, 수묵화

숲속 화실 80

18) 계룡산 847m – 신령한 산

충남 계룡시 신도안면 부남리 1063-1

영산으로 알려진 계룡산은 갑사, 동학사, 신원사 어디로 올라가든 아름다운 장관이 펼쳐진다. 정상에 다다르면 솟아오른 능선이 닭 볏처럼 이어지며 그 자태를 뽐낸다.

기암괴석과 절벽이 굽이굽이 이어진 곳에 화구를 편다. 노송 아래에서 그림을 그리다 보면 산의 정기를 받아 붓이 춤을 춘다. 등산하면서 피톤치드와 맑은 공기를 마시니 건강해져 몸과 마음이 솜털처럼 가벼워 날아갈 듯하다. 경이로운 풍경 속에서 그림을 그리니 신선이 된 듯 여유롭다.

계룡산의 멋진 노송 아래 숲속 화실

계룡산 정상의 숲속 화실. 계룡산의 독특한 지형과 자연환경은 예로부터 영험한 기운이 모이는 곳으로 여겨져 왔다.

계룡산의 능선. 수묵화 (날씨가 추워서 짧은 시간에 일필휘지)

숲속 화실 80

19) 대둔산 878m – 아찔한 절경

충남 논산시 벌곡면 수락리 산 14-1

신비로운 절경으로 이어진 바위산. 산 아래에서 케이블카를 타고 올라가는 동안 겹겹이 솟은 기암절벽의 자태는 영화에 나오는 한 장면 같다. 케이블카에서 내려서도 한참을 올라가야 정상이 나온다. 정상에 올라가는 동안 흔들다리도 있고 아주 가파른 철 계단도 있다. 이 계단이 얼마나 가파른지 보기만 해도 아찔했다. 다른 길도 있었지만, 도전과 호기심이 발동하여 계단으로 올라가기로 했다. 중간쯤 올랐을 때 아래를 힐끔 쳐다보니 등골이 오싹하고 두렵기까지 했는데, 어느 아주머니가 편안한 표정으로 계단을 올라오기에 "무섭지 않으세요." 물어보았더니 괜찮다고 한다. 처음에는 무서웠는데 자주 올라오다 보니 지금은 안 무섭다고.

여하튼 고소 공포증으로 두려움에 떨긴 했지만, 징싱에 오르니 기분이 최고다. 화구를 펴고 그림을 그리는 동안 무아지경에 빠져 행복했다. 산새들이 내 주위를 날아다니며 춤을 추고 노래를 부른다. 짹짹 짹 ~

숲속 화실 80

대둔산 정상, 참새들이 내 주변을 날아다니며 노래를 부른다.

대둔산 절경. 수묵화

숲속 화실 80

실제 경치를 보면서 그리는 산수화는 조선 시대 후기, 겸재 정선의 진경산수화로부터 시작되었다. '숲속 화실' 그림도 그 맥에 닿아 있다.

-작가 노트-

5. 전라도

1) 월출산 809m - 신비한 바위산

전남 영암군 영암읍 개신리 산 89-2

넓은 평야에 큰 섬처럼 장엄하게 자리 잡은 월출산. 도갑사에 주차하고 동행한 그림 애호가 형님과 함께 등산을 시작했다. 월출산은 바위산으로 올라가면 갈수록 매력이 넘친다.

산 중턱에서 연분홍 철쭉이 반긴다. 아름다움에 취해 이곳저곳을 뛰어다니며 사진에 담기도 하고 환상적인 풍광을 화폭에 옮겨 본다. 봄바람과 맑은 하늘, 불쑥 솟아 붉게 물든 산의 자태를 자연과 함께 호흡하며 느낌대로 표현했다. 그림을 그리는 동안 숭고한 신의 영역에 들어가 있는 기분이 들었다.

5월의 월출산 숲속 화실

숲속 화실 80

　월출산, 대학교 때 같은 학년 친구들과 MT를 갔었다. 40년이 흐르고 이제야 그 두 번째 산행이다. 우뚝 솟은 바위산, 예술 작품 같은 아름다운 산세를 화폭에 담았다. 일필휘지, 기운생동, 골법용필 붓이 춤을 추었다. 내 마음도 춤을 춘다.

2) 마이산 687m - 신비로움

전북 진안군 마령면 동촌리 산 18

고속도로를 달리다 보면 말의 귀처럼 불쑥 솟은 두 개의 봉우리를 만난다. 스쳐 지나가기만 했던 마이산을 찾아 가까이서 그 신비로움을 화폭에 담았다.

마이산은 남부와 북부, 이 두 곳의 입구를 통과해서 오를 수 있는데, 남부에서 바라본 마이산의 느낌과 북부에서 바라본 마이산의 느낌은 조금 다르다.

남부 출입구로 들어가니 마이산 가까이에서 표면의 질감을 느낄 수 있어 좋았다. 은수사 앞에서 마이산을 배경으로 보슬비를 맞으며 그림을 그린 후 북부로 발길을 돌렸다. 한참을 걸어가서 암마이봉과 수마이봉이 동시에 보이는 전망대에 도착했다. 북부 전망대에서 바라본 마이산은 말의 귀 모양으로 신기했다. 이 모습을 북부 전망대 아래에 화구를 펴고 수묵으로 그렸다.

겨울이고 가랑비가 조금씩 내리는 오후라서 그런지 사람들의 발길이 뜸하여 그림에 집중할 수 있어 좋았다. 우리나라의 자연미를 새롭게 느낄 수 있는 소중한 시간이었다.

숲속 화실 80

마이산이 한눈에 보이는 북부 전망대 숲속 화실

마이산을 수묵화로 담는다.

대한민국 방방곡곡 숲속 화실에서 아름다운 강산을 화폭에 담다 보니 나라 사랑하는 마음이 생기고 삶에 활력도 넘친다.

-작가 노트-

6. 경상도

1) 주왕산 721m – 신비로운 봉우리

경북 청송군 주왕산면

경상도 지방 스케치 여행을 며칠에 걸쳐 다녔다. 대구에 있는 팔공산에서 그림을 그린 후, 다음 스케치 장소를 남쪽으로 하려고 했는데 남부지방에 비가 온다는 일기예보가 있어 북쪽에 있는 주왕산으로 방향을 돌렸다.

단풍으로 유명하다는 주왕산은 언젠간 꼭 가보고 싶은 산이었다. 겨울이라 단풍은 없었지만, 산의 자태가 경이로웠다. 산 아래에서 보기에 주봉과 장군봉은 영화에서나 볼 수 있는 신비로운 산이었다. 주봉이 화폭에 담기에 좋을 것 같아서 주봉이 잘 보이는 장군봉에서 그림을 그리려고 장군봉에 올랐다. 겨울이라 그런지 장군봉 정상에서 그림 그리는 동안 사람이 한 명도 지나가지 않아서 그림에 집중할 수 있었다. 나뭇잎이 다 떨어져서 산의 누드를 보는 듯했다. 이 온전한 선을 느낄 수 있는 겨울 산의 매력에 흠뻑 빠져 들었다.

1월, 한 겨울인 데에도 불구하고 봄처럼 포근하고 맑은 하늘이었다. 날이 좋아서 눈을 감으며 명상하다가 다시 그림을 그리기를 반복하며 다양한 필법으로 수묵화를 그렸다. 그림을 그리다가 고개를 돌려 오른쪽을 보니 산촌의 경치는 꿈에서 본 듯 아름다웠다.

죽순처럼 불쑥불쑥 솟은 주봉 바위산이 보이는 주왕산 숲속 화실

주왕산 주봉. 수묵화

2) 미숭산 755m - 잔잔한 산

경북 고령군 대가야읍 신리 산 45-17

주왕산에서 그림을 그린 후 미숭산으로 이동했다. 처음 산책하는 산이라 설렜다. 자연경관이 좋은 산은 어김없이 휴양림 시설이 있는데, 이 산도 마찬가지로 숲길이 예쁘게 조성되어서 힐링할 수 있었다. 산 중턱에 올라 능선이 보이는 소나무 아래에서 그림을 그렸다. 자연의 아름다움을 모두 그림으로 표현할 수는 없지만 그리는 순간은 진지하다.

나는 왜 숲속에서 그림을 그리는가? 가끔은 스스로 질문을 던진다. 그리고 스스로 답한다. 즐겁고 행복해서라고.

올해 초부터 유난히 아팠다. 몸과 마음을 지치게 했던 스트레스가 쌓여 소화불량, 어깨 결림, 디스크, 감기, 코로나까지 이어졌는데, 숲속에서 그림을 그리면서 다행히도 점차 회복되어 몸이 가벼워졌다.

숲속 화실은 그림을 그리고 건강을 회복하는 힐링의 장소다.

3) 청량산 870m – 욕심 보따리는 크기가 없다

경북 봉화군 청량산

경상도 지역 장기간 숲속 화실 스케치 기행으로 심신이 지쳐 영양에 거주하는 후배 집에서 쉬기로 했다. 후배는 교직생활을 하다가 명퇴 후 영양군 산촌에서 민박과 카페를 운영하고 있다. 후배 집에서 숙박과 함께 재충전하고 봉화에 있는 청량산으로 발길을 옮겼다. 청량산 중턱 입석이라는 주차장에 주차하고 산행을 시작했다. 수려한 자연경관과 기암괴석이 장관을 이루는 청량산은 오르면 오른 수록 경이로운 풍광이 펼쳐졌다.

2월 말이라 그런지 산 능선을 경계로 북쪽 계곡 그늘에서는 눈이 쌓여 찬 바람이 불어왔지만, 남쪽 양지에서는 포근한 봄기운을 느낄 수 있었다. 가파른 계단을 올라 청량산 하늘다리를 건너자, 불쑥 솟은 산마루 암벽에 신비롭게 자라난 노송이 보였다. 한동안 풍경에 취해 멍하니 감상하다 그 자리에 오랜 시간 머무르며 수묵화로 그림을 그렸다.

산행하다 보면 많은 사람을 만나게 되고 여러 생각을 하게 된다. 산행 초입부터 우연히 동행한 노신사와 인생에 대해 이런저런 이야기를 나누었는데, "욕심의 보따리는 크기가 끝이 없다."는 말이 기억에 남는다. 청량산 산사에 사는 시인의

"담아도 담아도 흘러내리더라. 채우려 마라! 여태껏 나는 무엇을 채우려 애썼느냐"는 시구가 겹쳐지며 끝없는 이 욕심 보따리에 집착하지 말아야겠구나 생각했다.

청량사 산사의 대문에 쓰인 문구처럼 청량산은 '입술이 혀를 가리고 혀가 목젖을 가리듯' 양파 껍질처럼 신비감을 겹겹이 가리고 있었다.

청량산 기암괴석 절경, 수묵화. 여백을 남기며 욕심을 내려놓는다.

7. 제주도

1) 서우봉 109.5m – 바다와 풀 향기

제주특별자치도 제주시 조천읍 함덕리 169-3

5월 초 2박 3일간 제주도 숲속 화실 스케치 여행을 다녀왔다. 여행 일정 중에 성산일출봉에서 만난 분께서 서우봉이 그림그리기에 좋다고 추천하여 서우봉에 오니 봉우리 주변에 예쁜 해변이 있어 많은 관광객이 산책하고 있었다.

봉우리 정상에 올라서 내려다보니 아름다운 바다와 육지가 한눈에 보였다. 정상에서 풍광을 감상하고 내려오는 길에 산과 해변이 보이는 숲속 화실에 자리를 잡고 그림을 그렸다.

야자수가 있는 숲속에서 그림 그리는 동안 시원한 바닷바람과 파도 소리가 오감을 자극하여 그림 그리기에 제격이었다.

풀 향기 가득한 숲속 화실

숲속 화실 80

서우봉 입구

서우봉 중턱에서 수묵화로 산과 바다의 풍광을 그렸다.

2) 성산일출봉 182m - 수악여행 성지

제주특별자치도 서귀포시 성산읍 성산리 78

제주도 성산일출봉은 여러 번 왔던 곳이라 많은 추억이 떠오른다. 20년 전 연수여고에서 담임할 때 학생들을 인솔했던 기억이 난다. 오늘도 중, 고등학생들이 단체로 여행을 와서 활기가 넘치고 왁자지껄하다.

성산일출봉을 등산하고 봉우리 전체가 보이는 산 중턱 넓은 잔디밭에서 그림을 그렸다. 산수화는 현장에서 그려야 생명감이 있게 표현이 잘 된다.

그림을 그리는 순간, 자연과 하나가 되어 그림은 절로 그려진다.

성산일출봉에서의 묵상

성산일출봉 앞에서 그림을 그린다.

성산일출봉. 수묵화

3) 산방산 395m - 산과 바다.

제주특별자치도 서귀포시 안덕면 사계리 산 16

미술 교사로 근무하다 퇴직한 박정은 선생님과 함께 제주도 스케치 여행을 2박 3일간 다녀왔다. 여행 중에 제주도에서 2년 살기를 하는 이기방 선배의 안내로 산방산 전경이 보이는 바닷가에서 그림을 그렸다. 바람이 불고 짧은 시간에 그림을 완성하다 보니 표현하는 데에는 약간 어려움도 있었지만, 정취를 만끽하는데 충분했다. 아름다운 곳에서 아름다움을 표현한다는 것은 은혜이고 축복이다.

산방산은 수학여행을 많이 오는 장소고 정상 부근에는 구실잣밤나무·후박나무·겨울딸기·생달나무 등, 난대림이 숲을 이루고 있다. 암벽에는 지네발란·동백나무겨우살이·풍란·방기·석곡 등 해안성 식물이 자생하고 있으며 산의 남쪽에는 화산회층이 풍화된 독특한 경관의 용머리해안이 있다.

사계 포구에서

<산방산>, 수묵화

경이로운 경치를 그림으로 모두 담을 수는 없지만 그 느낌과
감동은 잊을 수가 없다.

- 작가 노트 -

2부 1000m 이상 숲속 화실

숲속화실은
산이나 등성들을 산책하다
발길이 머무는 곳 어디든지
그림을 그리면 될수있다

수면째 등산하고 숲속화실에서
그림을 그리는 작업을 해오다보니
나자신 심신의 조화를 이뤄
더욱 건강해진듯하다
그림또한 수묵으로 일직혀지 기운 생동
해지고 있다

숲속의 화실에서 함께 산책하고
그림그리며 참살이의 시간을 보내는
사람들이 많아졌으면 좋겠다

1. 경기도

용문산 1,157m – 은행나무

경기 양평군 옥천면 용천리 산 20-3

산 이름에 '악' 자가 들어가는 산은 등산할 때 힘들어서 '악!' 소리가 난다고 한다. 산행에서 만난 어떤 분은, 용문산은 정상 인근에 다다르면 경사가 심해서 '악' 소리보다 욕이 먼저 나온다고 하던 것이다. 그만큼 산에 오르기가 힘들다는 것이겠다. 실제 등산을 해보니 경사가 가파르고 돌이 많았다.

그런데 스케치 일정에 차질이 생겼다. 인천 집에서 아침 6시 출발해서 용문산에 거의 도착했는데 스케치하려고 준비한 그림 도구가 없다는 걸 그때야 알게 되었다. 순간 당황했다. 출발할 때 그림 도구를 다 챙겨놓고는 트렁크에 싣는 것을 깜박 빠트린 것이다. 이런 경우는 처음이다. 이제 나이를 먹었나 보다. 그 덕분에 그림 도구와 짐이 없어 가볍게 정상에 올라 경치를 감상하고 마음속으로 아름다운 경관을 담아 올 수 있었다.

내려오는 길에 피로를 풀 겸 계곡에서 맑은 물에 발을 담그고 물소리도 들으며 잠시 쉬기로 했다. 자연과 한 몸이 되어 숲속 계곡물에 흐려진 마음과 정신을 씻겨 보내고 싶었다.

'나는 누구이고 삶은 무엇인가?'

사색에 잠겨 청명한 하늘을 보니 새가 어디론가 날아다니고 낮달이 동그랗게 떠 있다. 하루살이가 얼굴에서 알짱거리고 귓가에선 새들이 지저귄다.

용문사 주차장에 내려오니 저녁 7시, 그 많던 차들이 각자 갈 곳을 향해 떠나고 있다. 나도 이제 아침을 먹은 곳으로 가야겠다. 삶이 다 그런 건가 보다.

용문산을 30년 만에 찾았다. 옛 추억이 생각난다. 그 시절 함께 했던 처녀와 총각들 모두 잘살고 있겠지.

용문산 정상. 용문사에 있는 1,100살 은행나무 잎 조형 작품이 정상석과 함께 있다.

2. 충청도

속리산 1,058m – 겨울 스케치

충북 보은군 속리산면 법주사로 84

한겨울 속리산, 칼바람 가르며 헉헉거리고 오르는 중에 길동무를 만났다. 길동무와 이야기 나누며 오르다 보니 한결 발걸음이 가벼워진다. 이 길동무는 일주일에 한 번씩 등산한다고 한다. 어느 때는 일주일에 두 개의 산을 타기도 한다고. 정상에서 그림을 그리는 장면을 이 길동무가 촬영해 주어서 기념으로 남길 수 있었다. 산을 좋아하는 사람은 언제나 넉넉하다.

정상에서의 칼바람을 가르며 붓질하는 느낌은 마치 말을 타고 그림을 그리는 듯하다. 너무 추워서 빠르게 일필휘지해야 한다. 늘 느끼는 것이지만 명산을 그릴 때는 그 기운이 그대로 그림 속에 녹여진다.

산봉우리의 규모가 그리 크지 않지만, 속리산은 매우 넓은 영역의 주변 산들을 포함하고 있고 풍광도 빼어나다. 속리산 등산로 초입에는 산책로 '세조길'이 길게 나 있다. '세조길'은 조선 시대 왕의 이름만큼이나 품위가 느껴진다.

속세를 떠난 산이라는 뜻의 '속리산'은 바쁜 일상에서 벗어나 마음의 찌든 때를 씻어내기에 제격이다.

　날씨가 매서워 목까지 감싸는 방한복을 입고 속리산 전경을 그렸다.
각종 기암괴석 전시장을 방불케 하는 산으로 가히 바위의 천국이라고
할만하다. 긴 세월에 다듬어진 화강암들이 다양한 모양으로 산을 아름답
게 꾸미고 있다.

　영하의 기온에서 얼음물로 수묵화로 그림을 그렸다. 얼음물로 그림을
그리다 보면 의외의 표현 효과가 나올 때가 있고, 그림이 힘차며 거칠게
느껴지기도 한다.

수년째 등산하고 숲속 화실에서 그림을 그리는 작업을 해오
다 보니, 나 자신 심신의 조화를 이뤄 더욱 건강해진 듯하다.

-작가 노트-

숲속 화실 80

3. 전라도

덕유산 1,614.2m - 설경

전북 무주군 설천면 삼공리 산 109

설경이 아름답기로 유명하고 고목이 많아서 운치가 있는 덕유산. 이 설경의 풍광을 조금이라도 빨리 느끼고 싶어 설레는 마음으로 케이블카를 타고 산 정상에 올랐다. 산의 웅장함에 감탄이 쏟아진다.

정상에서 본 설경은 가슴이 터질 지경으로 환상적이다. 고목과 눈꽃의 조화는 너무 황홀하여 마치 내가 눈꽃이 된 듯 빠져 들었다.

눈길을 걷다가 조망이 좋은 장소에 화구를 펴고 온몸으로 자연미를 느끼면서 그림을 그렸다.

사람들이 겨울에 산에서 그림 그리면 추위에 건강을 잃을까 걱정을 많이 한다. 날씨가 몹시 추울 때 어렵지만 바람이 없고 얼음만 얼지 않을 정도이면 그림 그리는 데에 큰 어려움이 없다. 하여 겨울 산의 숲속 화실을 찾으러 갈 때면 꼭 일기예보를 참고한다.

옷을 여러 겹으로 입고 모자, 마스크, 목도리, 장갑까지 끼고 산에 올라 그림을 그리면 된다. 이한치한(以寒治寒), 추위를

즐기며 그림을 그리는 것이 겨울 숲속 화실의 매력이기도 하
다.

덕유산 숲속 화실

덕유산 주목. 수묵화

겨울 숲속 화실

거친 숨소리

한 발 한 발 디딘다.

콧등은 시리지만

붓은 기운 생동한다.

한 해 옷을 벗어

성찰의 시간을 갖는다.

4. 경상도

1) 지리산 1,915m - 거대한 산

경남 함양군 마천면 삼정리 산 161

총각 시절에 등산하고 30년 만에 지리산을 다시 올랐다. 세월이 많이도 흘렀다. 그동안 산을 잊을 만큼 바쁘게 살았나 보다. 이제라도 산이 보이고 자연이 느껴지니 그나마 다행이다. 지리산의 여러 등산로 중, 중산리에서 출발했다. 산에 오르는 동안 바라보는 계곡의 바위, 흐르는 맑은 물은 예전 그대로 변함이 없었다.

며칠간 여러 개의 산행을 이어서 하였다. 계속되는 등산으로 무릎과 종아리에 무리가 생기자, 칼바위를 지나 중턱까지만 오르기로 했다. 조망이 좋은 바위에서 산의 기운을 느끼면서 수묵으로 지리산을 표현했다. 그림을 그리고 하산길에 자연의 향기를 맡으며 계곡의 물소리를 들으니, 피로가 싹 사라지는 것 같다.

산에 올라갈 때는 한 발 한 발 정성을 다해서 걷지만, 내려올 때는 몸이 풀리고 돌계단의 높이도 가늠할 수 없어서 실족할 경우가 있다. 또 몸의 하중이 커져 무릎에 무리가 생기기므로 조심해야 한다. 자칫 다칠 수도 있다.

돌계단을 조심스럽게 내려오면서 '내려올 때 잘 내려와야한다.' 곰곰 곱씹어 보았다. 정년이 얼마 남지 않았다. 떨어지는 낙엽도 조심하라는 말이 생각났다.

중산리에서 출발하여 칼바위를 지나 산 중턱에 있는 조망이 좋은 바위에서 지리산 전경을 화폭에 담았다. 지리산은 경상남도, 전라남도, 전북특별자치도에 걸쳐 있는 산이다.

민족의 영산이라 불리는 지리산, 수묵화

2) 황매산 1,113m - 철쭉

경남 합천군 가회면 둔내리 산 219

철쭉으로 유명한 황매산, 오래전 꽃이 만개했을 때, 산 인근에 왔다가 다른 일정이 있어 지나쳐 버려 아쉬움이 남아 있는 산이다. 직장 생활로 주말이나 공휴일에나 움직일 수 있는데 꽃이 만개할 때는 인천에서 거리도 멀고 차가 많이 밀려서 엄두가 나지 않았다.

이번 겨울에 스케치를 오게 되었다. 꽃은 지고 없었지만, 철쭉으로 가득한 능선을 상상하며 걸었다. 겨울 산은 외로웠던지 나를 반기는 듯했고 인적 없이 한적해서 자연을 만끽하며 그림에만 몰입할 수 있어서 좋았다.

황매산은 산세가 암석과 함께 웅장한데 정상 부근에는 넓은 억새밭이 있어 바람과 함께 춤을 춘다.

황매산. 수묵화

자연의 소리를 느끼며 콧노래와 함께 화폭에 아름다움을 담았다. 아름다움을 간직하고 싶어서 오랜 시간 머무르며 사진과 영상으로도 담았다. 황매산은 정상까지 자가용이 올라갈 수가 있어서 편리하고, 정상 인근에 매점과 식당이 있어서 허기를 채울 수 있다.

3) 팔공산 1,192m - 웅장

대구 동구 중대동 산 1-1

공주에 계시는 어머님께 문안드리고 대구 팔공산으로 왔다. 어머니 집에서 220km, 먼 길이다. 팔공산 아래에 도착하여 케이블카를 타고 해발 820m까지 올라가 숲속 화실로 향했다. 팔공산은 대구시 북부를 둘러싸고 있는 산으로 산세가 웅장하고 하곡(河谷)이 깊은 산이다.

눈이 녹지 않아 미끄러워 조심스럽게 산에 오르다가 눈길이 위험해서 정상까지는 못 갔다. 중턱 소나무와 바위가 있는 조망이 좋은 곳에서 그림을 그렸다. 날씨가 맑고 쾌청해서 그림 그리기에 좋은 조건이었다.

아름다운 풍경을 보면서 그림을 그리는 즐거움은 말로 표현하기 힘들 정도로 행복하다. 이런 말이 있다. '정말 행복한 사람은 모든 것을 가진 사람이 아니라 지금 하는 일을 즐거워하는 사람, 자신이 가진 것에 만족하는 사람, 하고 싶은 일이 있는 사람, 갈 곳이 있는 사람'이라고 한다. 아름다운 풍경 속에서 하고 싶은 그림을 그리는 지금이 가장 행복한 시간이다.

여러 산을 줄지어 산행하며 그림을 그리는 것이 체력적으로 힘들 때도 있지만 새로운 산을 오르며 그림 그릴 것을 상상하니 행복했다.

팔공산 정상 인근 바위의 숲속 화실

팔공산의 설경, 수묵화

4) 가야산 1,430m - 만물상 코스

경남 합천군 가야면 치인리 산 1-1

가야산 여러 등산 코스 중에서 만물상 코스로 등산했다. 등산로 경사가 심해서 쉬엄쉬엄 조망을 감상하며 올라갔기에 큰 무리는 없었다. 만물상 절경에 기암괴석 사이사이의 노송들이 어우러져 감탄이 절로 나왔다.

아름다운 비경을 보며 그림을 그리는 동안 콧노래를 부르며 시간 가는 줄 몰랐다. 만물상 코스 숲속 화실에서 수묵화로 산의 느낌을 표현하는 동안 숲과 같이 숨 쉬며 물아일체의 경지에 오른 듯했다.

그림을 그리고 내려오는 길은 경사가 심한 만물상 코스가 아닌 조금 쉬운 코스로 내려왔다. 내려오면서 같은 산인데도 만물상 능선과 계곡의 분위기가 너무 다르다는 느낌을 받았다. 우리네 인생도 한길만 걷는 것이 좋겠지만 다양한 길을 걷는 것도 나쁘진 않을 듯하다.

가야산을 논할 때 해인사와 떼어 놓고서는 설명할 수 없다. 해인사는 가야산의 품에 안김으로써 거찰(巨刹)이 되었고, 가야산은 해인사를 옷자락 속에 둠으로써 명산·영산의 이름을 얻었다.

숲속 화실 80

숲속 화실 80

5. 강원도

1) 치악산 1,288m – 금강소나무

강원특별자치도 원주시 소초면 학곡리 산 33

정년 퇴임한 친한 선배님과 함께 치악산을 등산했다. 이분
은 예술을 좋아해서 서각(書刻)을 하고 그림도 배우며 여생을
즐기고 있다. 가끔 컬렉터가 되어 마음에 드는 작품이 있으면
그림을 구매하는 매력적인 양반이다.

산과 예술을 좋아하는 분이라 공감이 잘되어 일정이 맞으면
등산을 함께하며 그림을 그린다. 혼자라면 올라가기 힘든 산
도 함께 등산하면 즐겁기도 하고 안전 산행을 할 수 있어서
좋은 점이 많다. 그림 그리는 동안 기다려 주는 미덕이 있어
서 나의 숲속 화실 최고의 벗이다.

치악산 스케치하는 날, 날씨가 추워서 그림을 그리는 데에
어려움이 있었지만, 추운 만큼 그림에 산의 정기가 담아지는
듯했다. 너무 추워 정상까지는 오르지 못하고 중턱에서 그림
을 그리고 내려왔다.

산세가 빼어난 치악산은 한반도 중부지방 내륙 산간에 있고
주봉인 비로봉을 중심으로 동쪽은 횡성군, 서쪽은 원주시와
접하고 있는 험산(險山)이다.

날씨가 추울 때는 짧은 시간에 그려야 하기에 작은 화지에 그린다.

치악산, 수묵화

2) 두타산 1,357m - 빼어난 산세

강원특별자치도 동해시 삼화동 산 267

가는 날이 장날이라고 두타산에 도착하니 전날 눈이 와서 온 산에 수북이 쌓여 장관을 이루고 있었다.

산에 오르기도 전, 산 입구 초입부터 경이로운 설경과 산세와 노송들의 자태에 매료되어 그 자리에서 화구를 펴고 그림을 그렸다. 아름다운 경치를 보니 눈과 손이 바쁘게 움직인다. 무엇에 홀린 듯 그림을 정신없이 그리다 보니 시간이 그렇게 많이 흘러갔는지도 몰랐다.

그림을 다 그리고 주변을 살펴보면서 산책하니 그림 그리던 곳 바로 아래 계곡에 맑은 물이 흐르고 있었다. 물소리가 먼지에 싸인 내 마음을 씻어 보내준다.

아름다운 설경으로 숲속 화실이 펼쳐졌다.

깎아지른 암벽의 노송과 아슬아슬한 계곡 아래의 물이 어우러진 두타산 골짜기는 무릉계곡의 비경으로 유명하다.

<두타산 설경>, 두방지에 수묵화. 빼어난 산세를 보면서 느낌 가는 대로 표현했다. '두타'는 속세의 번뇌를 버리고 수행을 닦는다는 뜻이다.

3) 화악산 1,468.3m – 이상원 미술관

강원특별자치도 춘천시 사북면 화악지암길 99

화악산은 경기도 가평군 북면과 강원도 화천군 경계에 있다. 전국 중등미술과 수석교사회에서 화악산 계곡에 있는 이상원미술관에서 연수를 했는데, 좋은 기억이 있어서 가족과 함께 다시 찾았다.

산 정상에는 오르지 못했지만, 이상원 미술관 앞 계곡에서 화악산에서 내려오는 맑은 계곡 물소리 들으며 그림을 그리니 영혼이 맑아지는 것 같다.

화악산 자락에 들어선 산과 계곡이 어우러진 이상원 미술관은 자연과 예술, 인간이 조화롭게 어우러지는 공간을 지향하고 있다. 우리나라에서는 가장 높은 곳에 자리한 이 미술관은 독특한 원형 모양으로 전면을 유리로 제작해 자연과 예술을 동시에 감상할 수 있도록 했다. 스케치 여행을 하면서 그 지역의 문화도 함께 관람하니 여행이 더욱 즐거워진다.

맑은 물 흐르는 계곡 화실   화악산, 수묵화

4) 오대산 1,563m – 춤을 추다.

강원도 평창군 진부면 동산리산1

34년 전, 첫 직장의 총각 시절 친하게 지냈던 형님과 오랜만에 만나서 오대산 정상에 올랐다. 올라가는 동안 얼마나 기분이 좋은지 춤을 추면서 올랐다. 등산하는 내내 하늘은 푸르고 온 천지가 은세계를 이루어 탄성이 절로 이어졌다.

정상 가까이 다다랐을 때 눈부신 상고대의 장엄한 아름다움은 현기증이 날 정도였다. 해가 뜨자 상고대와 녹아내리는 눈꽃에 햇빛이 반사되어 더욱 반짝였다. 떨어지는 눈꽃이 피부에 스며드는 듯 전신이 짜릿해 온다.

흥분을 가라앉히고 정상에서 그림 그릴 곳을 찾아 화구를 폈다. 그림은 '손으로 그리는 것이 아니라 영감으로 그린다'라는 말 그대로, 그림 그리는 동안은 신이 된 듯 저절로 그려졌다. 생명이 탄생하듯 그림도 오대산의 정기를 받아 탄생한 셈이다. 산에 오르고 상고대의 풍경을 만끽하며 그냥 그 자리에 화구를 펼쳤을 뿐인데 어느새 기운생동 골법용필 수류부채 화법으로 붓이 춤을 춘다.

기분이 얼마나 좋았던지 정상에서 만난 홍콩에서 온 여행객에게 즉석에서 그림을 그려 선물했더니 무척 좋아한다. 이 외국인, 한국의 미를 느끼는 데 도움이 되었으면 좋겠다.

여기에서 만난 또 한 사람 - 정년을 앞두고 등산을 온 대한 항공 승무원과도 인연이 되어서 이 2박 3일 강원도 스케치 여행은 일행이 셋으로 늘었다. 처음 만나 동행을 한다는 게 흔치 않은 일인데, 셋이 함께 마음의 문을 열어 서로 편하게 대하면서 다음 코스인 설악산 울산바위 숲속 화실로 이동했다. 색다른 즐거움이었다.

오대산 정상 숲속 화실

오대산 상고대, 수묵화

오대산 상고대

상고대
눈꽃이 미칠 정도로
환상적이다.

눈꽃에
화구를 펼치니 그림이 절로 그려진다.

한 해 수고했고
새해 힘차게 출발하자.

5) 태백산 1,567 - 하얀 숲

강원특별자치도 태백시 혈동 산 87-2

오랜만에 찾은 민족의 영산 태백산. 예전이나 지금이나 신비롭다. 상고대와 눈송이가 어우러진 풍경은 가히 일품, 눈꽃 산행은 환상 그 자체다. 희고 큰 산이라는 의미가 있는 태백산은 한강과 낙동강의 발원지이고 백두대간의 중심지이다. 금강산, 설악산, 오대산을 거쳐 태백산, 소백산, 속리산, 지리산까지 이어주는 허리의 역할을 하는 중요한 산이다.

정상에 오르니 태백산이라는 정상석이 크게 세워져 있고 하늘에 제를 지내는 천제단이 돌성처럼 쌓여 있다. 평일인데도 많은 사람이 찾아 감탄을 연발한다. 눈보라를 헤치며 등산할 때 봐두었던, 그림을 그릴 만한 장소에서 고목과 설경을 화폭에 담았다.

영산에서 영감받고 눈보라의 감촉을 느끼며 그림을 그리면 '그림은 그리는 것이 아니라 그려지는 것이다.'라는 생각이 들 정도로 붓이 스스로 움직이는 듯 망중한의 춤을 춘다. 화가가 그리는 것이 아니라, 알지 못하는 힘이 그리는 듯 신비로운 그림이 탄생한다.

고목의 자태가 아름다운 태백산 숲속 화실

태백산 고목, 수묵화

6) 함백산 1,573m – 설산

강원특별자치도 정선군 고한읍 고한리 산 2

태백산에서 그림을 그리고, 숙소에서 충분히 휴식을 취한 다음 날 함백산으로 향했다. 전날 태백산을 종주해서 피곤하기도 했고 무릎을 보호해야겠다는 생각에 차가 올라갈 수 있는 중턱에 주차하고 정상에는 오르지 않았다. 밤새 비구름이 몰려오고 안개가 온산을 덮어서 상고대가 활짝 펴 있었다. 환상적이고 아름다운 이 상고대를 바로 눈앞에 두고 그림을 그렸다. 나무에 핀 상고대를 수묵으로 표현하기가 쉽진 않았지만, 붓을 파필로 만들어 괴롭히면서 나무에 핀 눈꽃을 찍고 번지게 하여 그 맛을 내려고 다양한 필법으로 표현해 보았다.

함백산은 한라산, 지리산, 설악산, 덕유산, 계방산에 이어 대한민국에서 여섯 번째로 높은 산이지만 등반 시작점의 해발 고도가 높아 정상까지 오르는 데에는 어렵지는 않다.

함백산 나무에 핀 상고대 화실   파필로 표현한 상고대

함백산 정상이 보이는 숲속 화실

함백산 설경, 수묵화

아름다운 설경 속에서 그림을 그리는 것은 축복이고 은혜다.

- 작가 노트 -

7) 설악산 1,708m - 동행인

강원특별자치도 양양군 서면 오색리

오대산 정상에서 그림을 그리고, 그 상고대의 환상적인 아름다운 여운이 가시기도 전에 설악산을 찾았다. 설악산 흔들바위를 지나 울산 바위 중간 조망터로 자리를 옮겨 화구를 폈다. 눈앞의 직각에 가까운 바위에 자라는 소나무의 모습이 어찌나 신비하고 장엄한지 언어로는 표현하기가 어려울 것 같다.

설악산 울산바위는 중학교 때 수학여행을 왔었고 20여 년 전 직장에서 연수를 온 적도 있다. 오랜만에 보아도, 보아도 명산이다.

설악산 울산 바위 중턱 조망터 화실

설악산 숲속 화실 진심경
(두방지에 수묵화/53×45cm)

숲속 화실 80

100세 시대, 힐링의 장소로 생각하는 숲속에서 그림을 그리면 건강이 좋아지고 심미적 감성도 풍부해지면서 신비로운 예술세계에 들어갈 수 있다.

-작가 노트-

6. 제주도

한라산 1,947m - 백록담

제주특별자치도 제주시 오등동 산 182

2023. 1. 16일, 2박 3일 일정으로 서양화가 동료와 제주도 스케치 여행을 왔다. 제주도는 어딜 가나 모든 지역이 그림그리기에 좋은 풍경을 지녔다. 이 매력적인 풍광은 눈과 가슴에 담아도 담아도 끝이 없다.

 마음먹고 한라산 스케치를 왔는데, 눈이 너무 많이 오고 기온이 떨어져 탐방로가 폐쇄되어 아쉽게도 등산하지 못하고 어승생악(어리목휴게소)까지만 올라가 기념 촬영하는 것으로 만족해야 했다. 다음 기회에 꼭 다시 와야겠다.

어승생악(어리목휴게소)

2024. 5. 7일, 제주도 한라산을 다시 찾다.

5시 30분, 관음사 탐방로 앞 식당에서 국수와 김밥으로 아침 식사를 하고, 등산하며 먹을 김밥 2개, 양갱 2개, 초콜릿 1개를 구매했다. 그림을 몇 점 그릴 수 있을 것인지, 백록담까지 과연 올라갈 수 있을지, 몇 시에 산에서 내려올 수 있을지 궁금해하면서 6시부터 등산을 시작했다.

바람은 조금 불었지만 대체로 날씨가 좋아서 등산에 어려움이 없었다. 아름다운 경치가 응원해 주는 것 같아서 오르는 동안 지루하지 않았다. 우리 인생에 힘든 일이 있어도 응원해 주는 사람이 있으면 잘 이겨내지 않던가. 무리하지 않고 천천히 삼각봉에 올랐다. 평온했던 날씨가 갑자기 바람과 안개가 몰아닥친다. 바람과 안개가 변화무쌍한 와중에도 경치에 취해 기념사진도 찍고 한숨 돌리며 그림을 그렸다. 이어 충분히 휴식 후 정상을 향해 다시 산에 오르기 시작했다.

삼각봉에서 백록담 정상까지는 경사가 있고 올라가는 내내 바람이 불다, 말기를 반복하며 구름이 산을 감싸는 모습이 아주 환상이다.

백록담에 오르니 환호가 절로 나온다. 구름이 많아서 백록담이 안 보였는데 바람이 불면 잠시 보여주기도 한다. 앞서 며칠 동안 폭우가 와서 그런지 백록담엔 물이 가득했다. 한동안 이 아름다움에 취해 서 있었다.

정상에서는 바람도 많이 불고 사람들이 많아서 그림을 그릴 수 없어 그 아래에서 진심경으로 일필휘지 힘차게 그렸다.

등산할 때의 느낌은 정상에 다다랐을 때와 하산할 때가 서로 다르다. 내려가는 지금은 마라톤에 비유하면 종점을 앞두고 심신이 지쳐 있을 때다. 교직 생활 정년이 1년 남짓 남았다. 막바지 조금 더 힘내고 마무리를 잘해야겠다고 생각했다.

출발하기 전 스스로 궁금해했던 것을 점검해 봤다. 아침 6시에 등산을 시작하여 저녁 6시 20분에 하산했다. 등산 시간 12시간 20분, 완주에 성공했다. 그림도 5장 그렸고, 힐링도 하였으니 만족할 만한 여행이라 하겠다.

문득 1986년 백록담에 왔던 기억이 떠올랐다. 38년 만에 다시 찾은 셈이다. 인생무상을 생각한다.

백록담에 물이 가득하다. 행운이다.

백록담 아래 숲속 화실

한라산. 일필휘지 수묵화

숲속 화실 80

삼각봉 앞에서 머리를 비어 내는 '숲 멍'에 빠졌다.
숲 멍만 해도 건강해지는 것 같다.

한라산 삼각봉, 수묵화

숲속 화실 80

부록

숲속화실은
산이나 들, 섬 등을 산책하다
발길이 머무는 곳 어디든지
그림을 그리면 될 수 있다

수틀째 등산하고 숲속화실에서
그림을 그리는 작업을 해오다 보니
나 자신 심신의 조화를 이뤄
더욱 건강해진 듯하다

그림 또한 수묵으로 살쩍 혀지 기운 생동
하지고 있다

숲속의 화실에서 함께 산책하고
그림 그리며 찬살이의 시간을 보내는
사람들이 많아졌으면 좋겠다

1. 숲속 화실

숲속 화실은 딱히 정해진 곳이 아닌, 산이나 들, 섬 등을 산책하다 발길이 머무는 곳이면 어디든 될 수 있다.

수년째 등산하고 숲속 화실에서 그림을 그리는 작업을 해오다 보니, 나 자신 심신의 조화를 이뤄 더욱 건강해진 듯하다. 그림 또한 수묵으로 일필휘지 생명감을 표현하니 더욱 기운 생동해지고 있다.

숲속의 화실에서 함께 산책하고 그림 그리며 참살이의 시간을 보내는 사람들이 많아졌으면 좋겠다.

숲속 화실, 봄
(45×57cm/수묵담채)

숲속 화실, 여름
(45×57cm/수묵담채)

2. 숲속 화실의 날씨

숲속 화실에서 그림 그리기는 봄이 가장 좋다. 개나리와 진달래가 만개할 때 숲속에서의 스케치는 마음을 설레게 한다. 숲속 싱그러운 연초록 나뭇잎을 벗 삼아 그림을 그리다 보면 자연의 생명감을 온몸으로 느낄 수 있다.

봄뿐만 아니라 여름, 가을, 겨울에도 숲속 화실은 항상 열려 있다. 여름이 시작되는 6월의 이른 아침, 눈을 뜨자마자 화구를 챙겨 숲속으로 발걸음을 옮긴다. 떠오르는 햇빛과 고요한 숲속의 기운을 화폭에 담는다.

폭염이 심한 한여름에는 더위를 피해 계곡에서 주로 그림을 그리며 즐긴다. 계곡물에 발을 담그고 책도 읽고 그림도 그리다 보면 신선이 따로 없는 듯하다. 해충이 많을 때는 모기장 안에서, 때로는 모기향을 피우며 그림을 그리는데 이보다 더 멋진 피서는 없을 것 같다.

가을에 단풍잎이 물든 숲속에 돗자리 펴고 흔들리는 억새와 낙엽을 보며 그림을 그리다 보면 콧노래가 절로 나온다. 오색으로 물든 숲속 향기를 벗 삼아 붓은 빠르게 리듬을 탄다.

겨울은 내가 가장 많이 숲속 화실을 찾는 계절이다. 기온이 내려가니 벌레도 없고, 땀도 나지 않아 등산하기에 아주 좋다. 나목으로 서 있는 산의 자태를 한눈에 관찰할 수도 있다.

겨울에는 먹물만 얼지 않으면 그림을 그릴 수 있다. 붓에 먹물을 묻혀 농담과 물기를 조절하여 그리는데, 먹물이 얼면 그림을 그릴 수가 없다. 이한치한 이라는 말도 있지만 먹물이 얼 정도의 기온이면 체온이 떨어져 건강에도 좋지 않다.

어떤 때는 붓이 일부 얼어버려 갈라지고 흐트러져 예상하지도 못한, 의도하지도 않은 멋진 준법의 효과가 나올 때가 있다. 예술은 예측대로 이루어지지 않음을 깨닫는 순간이다.

숲속 화실에서의 그림 그리기는 사계절 모두 매력이 있고 각각 장단점이 있다. 계절에 따라 등산하며 그림 그리기를 즐기면 된다.

산에서는 안전이 최고다. 지인과 동행하면 안전사고를 예방할 수 있다. 혼자 산에 오를 때에는 지인에게 수시로 위치를 알려주어 안전사고가 났을 때 조치할 수 있도록 해야 한다. 또한 미세먼지 농도가 높으면 숲속 화실에서 그림 그리기를 삼가야 한다. 미세먼지가 기관지에 쌓이면 가래가 생기고 기침이 잦아진다. 또 기관지 점막이 건조해지면서 세균이 쉽게 침투, 만성 폐질환이 있는 사람은 폐렴과 같은 감염성 질환에 취약해진다. 초미세먼지는 협심증, 뇌졸중 등 심혈관질환의 원인이 되기도 한다. 미세먼지는 세계보건기구(WHO) 산하 국제암연구소(IARC)가 지정한 1급 발암물질이다.

3. 숲속 화실 진심경(眞心景)

진심경은 실제 경치를 보면서 느낀 감성을 그림으로 표현하는 것을 말한다. 진경을 보고 심경을 표현했다는 의미이다. 사람은 자연의 아름다움을 보고 감동한다. 아름다운 순간을 간직하려고 사진을 찍고 그림도 그린다. 화가는 사실적인 그림을 그리는 작가도 있고, 나처럼 느낌을 표현하는 작가도 있으며, 자신이 느끼는 감정을 추상적으로 표현하는 작가도 있다. 중요한 것은 현장에서 자연을 오감으로 느끼면서 그린다는 것이다. 그래서 숲속 화실을 진심경이라고도 한다. 아름다운 자연은 늘 감동을 주며 내 그림의 중요한 원천이 된다.

서예가 초정 권정수, 숲속 화실 진심경(부채)

4. 그림 도구와 재료

산에서 그림을 그리려면 그림 도구가 간단해야 이동하기 편리하다. 그림 그릴 때 꼭 필요한 것만 등산 가방에 넣는다. 내가 주로 사용하는 그림 재료는 전통 한국화 재료로 붓, 먹물, 두방지, 접시, 물, 깔판, 여분 화선지 등이다. 화구뿐만 아니라 간식도 꼭 챙겨서 가야 한다. 갑자기 허기가 졌을 때 영양 섭취는 중요하기 때문이다.

설악산, 두방지에 수묵화

숲속 화실 화구는 산을 등산하고 그림을 그리기 때문에 부피가 작고 무게가 적어야 한다. (한국화 준비물)

붓과 발		먹물 농담 조절용 여분의 화선지	
두방지 (야외용 화선지)		가방(화구 담는 가방)	
먹물 및 물감		미니 방석(깔고 앉을 때 사용)	
접시		아이젠 (겨울) 스프레이 (여름)	
물(먹물, 물감 녹일 때 사용, 페트병에 담기)		숲속 화실 가방을 등에 멘 복장	

5. 숲속 화실 노하우

숲속의 화실은 혼자 다닐 때와 지인과 함께 다닐 때가 서로 다르다. 둘 다 장단점이 있어서 상황에 맞게 스케치 여행을 즐기면 된다.

혼자 다니면 그때그때 날씨 예보와 몸의 상태에 따라 시간 조절하며 숲속 화실 코스를 자유롭게 정해 스케치 여행을 여유롭게 즐길 수 있다는 장점이 있다. 또한 내면을 만날 수 있는 시간이 많아서 좋다.

지인과 함께 다니면 말동무하며 정보를 공유하게 되니 심리적 안정감을 준다. 산행에서의 안전사고를 예방할 수 있고, 여행 비용도 나누게 되니 경비 부담이 줄어든다.

숲속 화실, 가을
(45×57cm/수묵담채)

숲속 화실, 겨울
(45×57cm/수묵담채)

숲속 화실 80

6. 숲속 화실 육체 통과

소통 강사 김창옥은 '명강사는 육체를 통과한 이야기를 하는 사람'이라고 말한다. 자신이 경험한 일을 이야기하는 것이 가장 감동을 준다는 것이다. 조선 시대 신윤복, 김홍도, 정선 등도 그 시대에서 경험한 일들을 그림으로 그렸기에 대가의 반열에 오른 것이다. 산수화도 마찬가지라고 생각한다. 사진을 보고 그린 산수화와 현장에서 산의 기운을 온몸으로 느끼면서 그린 그림은 감동이 다를 것이다. 정선의 진경산수화가 그래서 명작으로 인정받고 있다. 숲속 화실도 이와 맥을 같이한다.

7. 숲속 화실 전도사

시골 출신이라 산을 놀이터로 알고 지내던 시절은 어릴 때부터였고, 가끔 스트레스받고 우울하면 산에서 심신을 회복했던 기억이 있다. 숲속에서 본격적으로 그림 그리기는 10년 전에 시작했다. 처음엔 족저 근막염으로 실내에만 있으니 답답해서 집 뒤에 있는 숲속에서 그림그 리기를 시작했다. 숲속에서 피톤치드를 마시며 철 따라 변하는 묘미를 그림으로 표현하다 보니 건강도 좋아지게 되었다. 조금씩 활동 공간을 넓혀서 지금은 전국에 명산 숲속을 다니며 그림그리기가 이어지고 있다. 몸과 마음이 건강한 참살이 삶을 많은 사람이 누릴 수 있기를 바라는 마음이 쌓여, 어느새 숲속 화실 전도사가 되었다.

등산하고 숲속에서 피톤치드를 마시며 맑은 공기와 새소리 바람 소리, 산의 기운을 모아 그림을 그리면 그림이 저절로 그려지는 체험을 하게 된다. 반은 내가 그리고 반은 산의 자연이 그리는 것 같다.

8. 계획된 우연 이론

글을 쓰면서 "나는 지금의 성공을 목표하거나 계획했다기보다 그냥 주어진 현실 속에서 열심히 했을 뿐이다."라고 했던 크롬볼츠(Krumboltz)의 '계획된 우연 이론'이 생각났다.

이에 비추어 내가 지나온 세월을 뒤돌아보니 '계획된 우연 이론'에 부합하는 게 아니었나 하는 생각이 든다.

미술 교사가 된 것도 처음부터 교사가 되겠다는 꿈을 갖고 공부한 것이 아니었다. 그저 주어진 학교생활에 충실했고 일상생활 속에서 매일 일기를 쓰면서 일기장에 그림을 그리며 그림 실력이 늘게 되었다. 거기에다 서울에서 화가로 활동하는 옆집 형님이 휴가 기간에 우리 집에 놀러 와서 그림을 그릴 때 곁눈질로 그림 방법을 배웠다. 고등학교 재학 당시 우연한 기회에 내 그림 실력이 미술 선생님의 눈에 띄어 미술로 진학의 방향을 정하게 되면서 국립사범대 미술교육과를 졸업하여 미술 교사가 됐다.

숲속 화실에서 건강관리도 하고 수년간 그림을 그렸는데, 자료가 쌓이다 보니 계획하지 않았던 숲속 화실 책을 내게 되었다. 책을 내게 된 것도 집필할 수 있게 용기를 주신 수석 선생님이 계셨기 때문이다.

크롬볼츠는 인생에 '호기심, 낙관주의, 인내, 유연성, 위험 감수와 같은 특정 자질과 태도 함양'이 중요하다고 했는데 이것은 숲속 화실의 탄생과도 일치한다.

9. 스케치 여행 중 일기의 일부

1차 2024년 1월 2일~9일

겨울방학이 시작되어 '숲속 화실' 충청도와 경상도 산을 연

이어 탐방하며 그림을 그렸다. 다녀온 곳은 서산 가야산, 보령 오서산, 공주 연미산, 경상도 가야산, 황매산, 미숭산, 지리산, 마이산 등 중남부 중앙 8개의 산이다. 덕분에 자연미 발견과 함께 건강, 감성이 더욱 충만해진 느낌이다.

며칠 집에서 쉬었다가 이어서 동남 해안과 서남쪽 숲속 화실로 발길을 옮기려고 한다. 바람 부는 대로 마음 가는 대로 ~~ 운동, 인문, 사색, 예술, 그리고 글쓰기를 즐기려고 한다.

2차 2024년 1월 29일 ~ 2월 3일

1차 숲속 화실 스케치 여행에 이어서 2차로 경상도와 강원도 '숲속 화실'을 탐방했다. 이번에는 겨울에만 볼 수 있는 눈꽃 숲 체험을 할 수 있었다. 우리나라에 신비롭고 아름다운 곳이 이렇게 많았나 하며 자연미에 흠뻑 빠졌다.

다녀온 곳은 대구 팔공산, 청송 주왕산, 봉화 청량산, 강원도 태백산, 함백산, 두타산 등 경상도와 강원도 6개의 산을 탐방했다. 날씨가 좋아서 그림 그리는 데에는 어려움이 없었다. 1월 말의 경상도는 봄기운을 느낄 만큼 포근한 날도 있었지만, 설산으로 유명한 태백산과 함백산은 상고대와 눈이 내려서 환상적인 하얀 숲, 눈꽃을 볼 수 있었다. 등산, 사색, 그림 그리기, 글쓰기로 이어진 즐거운 여행이었다.

숲속 화실에서 수묵화로 번짐과 농담을 살려 표현한 아름다운 자연

3차 2024년 3월 9일~10일, 3월 16일

그동안 가보지 못했던 인천에 있는 산 숲속 화실을 탐방했다. 봄기운이 가득한 주말, 인천의 가마산, 관모산, 만수산 등을 등산하고 그림을 그렸다. 연이어 주말 토요일마다 원적산과 천마산을 탐방하고 자연미를 만끽했다. 인천에 살면서도 원적산은 처음 탐방하는 산이라 기대되고 설레기도 했다. 능선이 오르락내리락 아기자기해서 예쁘고 양지에 진달래꽃 봉오리가 터지고 있었다. 인천에 아름다운 산이 많다는 것을 새삼 느낀다.

[숲속 화실 회칙]

제1장 총칙

제1조(명칭) 본회는'숲속 화실'이라 칭하며, 본부는 회장 근무지에 둔다.

제2조(목적) 1. '숲속 화실' 회원은 산이나 계곡, 들, 섬 등을 산책하며 숲속 화실에서 그림을 그리고 전시회를 개최한다. 2. 정신적 육체적 조화로운 삶을 추구하는'숲속 화실'에서 함께 산책하고 그림 그리는 참살이 확산에 노력한다.

제3조(사업) 본회는 그 목적을 달성하기 위하여 추진되는 사업은 다음 각호와 같다.
1. 숲속 화실 회원 전문성 향상을 위한 현장 체험 그림 그리기 활동 추진 및 숲속 화실에서 작품 제작, 환경보호, 작품 전시 등 정보 교류 등을 한다.
2. 기타 본회의 목적 달성을 위해 제반 사업을 한다.

제2장 조직
제1절 회원
제4조(회원 구성) ① 자연, 산과 계곡, 들, 섬 등의 숲속을 산책하고 그림 그리기를 좋아하는 회원으로 한다. ② 심신 건강 유지, 강화, 회복하고자 하는 순수한 생각을 가진 회원으로 한다.
③ 본회의 권리와 의무에 동의한 자로 한다.

제5조(회원 임무) ① 회칙 및 제 규정을 준수하여야 한다.

② 본회 목적 달성을 위한 각종 활동에 적극적으로 참여하여야 한다.

③ 소정의 회비를 납부하여야 한다.

④ 숲속 화실 현장 체험 창작활동에 참여한다.

1. 기본 활동: 200m 이하 평지 숲속 화실 참여

2. 중급 활동: 1000m 이하 숲속의 화실 참여

3. 고급 활동: 1000m 이상 숲속 화실 참여

4. 글로벌 활동: 해외 숲속 화실 참여

제2절 임원

제6조(임원 구성) ① 회장: 회장은 본회를 대표하며 본회의 사업 계획 수립. 제반 사무를 총괄한다.

② 총무: 회장 유고 시 그 직무를 대행하며, 재정을 관장하고 숲속의 화실 운영 프로그램을 집행한다. 총무 유고 시 회장이 회원 중에 지명하여 그 직무를 대행하도록 한다.

③ 임원의 공동임무: 숲속 화실 연구와 연수, 대외 홍보, 작품 창작, 전시 작품 설치 및 정보 공유한다.

④ 회원 수가 많아지면 임원 부서를 증설한다.

제7조(임원의 임기 및 자격) ① 회원 참석 인원의 과반수 이상의 찬성으로 선출한다(단, 모든 의결에 가부 동수 시 회장이 결정한다.).

② 임기는 2년으로 한다(단, 본인이 희망하는 경우에 한하여 중임할 수 있다.).

제3장 회의

제8조(회의 및 소집) ① 모임은 정기 모임과 임시 모임 및 임원회로 구분된다.

② 정기 모임은 숲속 화실 현장 체험, 작품 전시회로 하되, 협의 및 의결 사항은 다음의 각호와 같다.

1. 회원 가입 및 탈퇴 등에 관한 사항
2. 재정의 수입과 지출에 관한 사항
3. 임원 선출 및 회칙 개정 등에 관한 사항
4. 전문성 향상을 위한 연수, 현장 체험 그림그리기, 작품 전시회 계획 수립 및 시행에 관한 사항
5. 기타 본회 목적에 부합하는 사항 등

③ 임시 모임은 임원 및 회원의 요청이 있을 시 필요에 따라 회장이 소집한다.

④ 임원회는 필요시 회장이 소집하되, 의결 사항은 다음의 각 호와 같다.

1. 정기 모임에서 위임받은 사항의 집행
2. 정기 모임 결정 사항을 집행하는 데 필요한 세칙의 제정
3. 기타 본회 운영에 필요한 사항

제9조(의결) 본회의 각종 회의는 대면 및 비대면으로 재적 회원 3분의 1 출석과 출석 회원 과반수 이상의 찬성으로 의결한다.

제4장 재정

제10조(재정) 본회의 재정은 회비 및 기타 수입금으로 충당한다.

제11조(회비) ① 회비는 숲속 화실 현장 체험 기간 지출한 예

산을 참여 인원 N분의 1로 나누어 체험일 종료 다음날 총무
에게 납부하여 운영한다. ② 협회의 사정에 따라 정기 모임
에서 의결하여 연회비 등을 정하여 납부하여 운영할 수 있다.

제12조(회계 기간) 회계 기간은 연수, 현장 체험, 전시회 시
작일부터 끝나는 날 익일로 한다. 단, 연회비, 기부금 및 잔
액 회계 기간은 1년(매년 3월 1일부터 익년 2월 말까지)으로
한다.

제13조(경조금) 경조시 각자 한다.

제5장   숲속 화실 현장 체험

제14조(현장체험 그림 그리기 및 소집) ① 숲속 화실 현장
체험 그림그리기 정기 체험과 임시 체험, 개인별 체험으로
구분된다.

② 정기 체험은 봄, 여름, 가을, 겨울 계절별 1회를 기본으
로 한다. 단, 사정에 따라 년 간 1회만 할 수도 있다.

③ 임시 현장 체험은 나들이하기 좋은 날 봄과 가을에 임원
및 회원의 요청이 있을 시 필요에 따라 회장이 소집하여
현장 체험한다.

④ 정기, 임시 현장 체험 날짜, 장소, 기타 사항은 임원 회의
에서 결정한다.

⑤ 개인별 체험은 개인별로 활동한다.

제6장   작품 전시회

제15조(작품 전시) ① 작품 전시는 정기 전시와 기획 전시로
구분된다. ② 정기 전시는 년 1회, 기획 전시는 기획 및 초

대전이 있을 시 작품을 전시한다.

제7장 용어 해설

제16조(숲속 화실) ① 숲속 화실은 일정한 장소가 정해진 것이 아니라. 산과 계곡, 들, 섬 등을 산책하다 발길이 머무는 경치 좋은 숲속에서 그림은 그리는 중의적인 표현으로 자연 속 화실이다. ② 숲속 화실은 자연과 인간, 운동과 예술이 하나가 되어 100세 시대에 워라벨, 아름답고 건강한 삶을 추구하는 참살이 힐링 예술 장르이다.

부   칙
1. 본회의 안은 2023년 5월 20일부터 시행한다.
2. 본 회칙 1차 개정 2024년 7월 1일부터 시행한다.

'교사가 건강해야 학생이 건강하다'라는 캐치프레이즈 아래, 숲속의 화실에서 함께 산책하고 그림 그리며 참살이의 시간을 보내는 교사들이 많아졌으면 좋겠다.

-작가 노트-

참고 문헌

《행복해지는 교사들의 4계절 일상》,
강신진, 유덕철, Bookk, 2023.

국립공원공단
https://www.knps.or.kr/front/portal/visit/visitCourseMa
in.do?parkId=121300&menuNo=7020101

숲속 화실 80

저 자 | 유덕철

발 행 | 2024년 7월 29일
펴낸이 | 한건희
펴낸곳 | 주식회사 부크크
출판사 등록 | 2014.7.15.(제2014-16호)
주 소 | 서울특별시 금천구 가산디지털1로 119
　　　　　　　　　　 (SK 트윈타워 A동 305호)
전 화 | 1670-8316
이메일 | info@bookk.co.kr

ISBN | 979-11-410-9584-0

www.bookk.co.kr